おもしろい話「すぐできる」コツ

渡辺龍太
放送作家・即興力養成講師

PHP

はじめに

~どんな相手にも「おもしろい！」と思われる話し方とは？~

あなたは、学校の友人や職場の人と会話をしていて、「別に大爆笑を取らなくてもいいんだけど、相手が少しはクスッとするような『おもしろい話』ができたらなぁ」と思ったことはありませんか？

あるいは、「なんで同じ経験を話しているのに、自分が話すよりも、あの人の話の方が、みんな笑って聞いているんだろう？」とちょっと悔しく感じたことはありませんか？

こんな経験、誰もが一度はあると思います。その結果、「おもしろい話」をする上で、こんな結論に達している人が多いのではないでしょうか。

- 相手をよくよく「観察」して、相手の好みに合わせて話を盛る必要がある
- フリ・ボケ・ツッコミなどの「お笑いの特殊技能」をマスターする必要がある

・でも結局、おもしろい話ができるかどうかは、「センスや才能」がものを言う

しかし、**はっきり言って、これらは完全に間違いです！**

正確に言えば、それらの才能や技術が必要なのは、「人工的に作られたネタを話す力」が必要な、笑いを職業にする人だけです。

一方、お笑い芸人ではない普通の人が、「おもしろい話」をしたい場合は、もっと簡単な「あること」をするだけでいいんです。それは、

「自分の感情を、そのまま丁寧に説明して、相手に伝えること」

「え、それだけ？」と思われる方もいるかもしれません。「ボケもオチもないのに笑えるの？」「そもそも自分のことを話して相手が興味を持つわけないじゃん」。そんな声が聞こえてきそうです。

しかし、テレビやYouTubeなどに出ている俳優、アイドル、ミュージシャン、ビジ

ネスマン、学生といった、お笑い芸人ではない「素人」のトークを改めて見て下さい。

そうした人たちの多くは、フリ・ボケ・ツッコミなどを多用して、お笑い芸人のような雰囲気で話しているわけではありません。その代わりに、そういった人たちは、例外なく、「自分の感情」をあの手この手を使って、視聴者に伝わるような工夫をしています。

これを聞いて、「だとしても、自分のような地味な人間は、おもしろい話なんか絶対できないと思うんだけど」と思った人もいるでしょう。そういう人にこそ、声を大にして言いたい。**「地味だという先入観を持たれているなら、それは大チャンスです！」**と。それはたとえるなら、みんなが素手で畑を掘っているのに、あなただけスコップを持っているようなものです。そういう人こそ、本書で紹介する「おもしろい話」のメソッドが効く方です。

この本では、そもそも人はなぜ「おもしろい」と感じるのか、その根本的なところから「笑いのメカニズム」を解き明かし、どんな人でも話せばたちまち「この人、なんかおもしろいな!」と思われる方法を、惜しみなく公開します。

この「おもしろい話」を生み出すに至るまでには、私も相当時間が必要でした。そのベースになっているのは、私の人生における次の3つの経験です。

1. アメリカで学んだ「即興演劇(インプロ)」というアドリブトーク術
2. 「放送作家」という仕事を通じて、一流芸人たちにトーク術の秘訣を聞いた経験
3. 話し方教室「ストイックすぎる雑談教室」で生徒の話をおもしろくしてきた経験

1と2に関しては、それぞれ私よりも詳しい専門家がいると思いますが、これらすべての経験を持っているのは、日本広しとは言えども私だけなのではないか、と自負しています。

というわけで、ここまで読まれた人は、この本で話している私オリジナルの「おもしろい話し方」のエッセンスだけでも、ぜひ身につけてみてください。いつでもどこでもおもしろい話ができれば、それはあなたの人生をもガラリと変える力になるはずです。

第2章

必ず「おもしろい！」と言われる「たった1つの法則」

第5章

狙って「おもしろい話」をする方法

第6章 おもしろい話で全方位にモテよう！ 151

第1章

なぜあなたの話はつまらないのか？

1-1

人がおもしろさを感じるバランスは、「普通：異常＝9：1」

実は、人が「おもしろさ」を感じるのは、「異常なことが、あたかも普通に行われている時」なんです。この法則を理解しておかないと、たちまちスベる人になってしまいます。

突然ですが、こんなシチュエーションを想像してみてください。
あなたの会社の社長は、体を鍛えるのが趣味のちょい悪おやじ系の70歳です。ある夏の暑い日、外回りから帰ってきた社長が、小洒落たダンディなハンカチで額の汗を拭いながら満面の笑みで、あなたに話しかけてきました。

「今日の暑さ、本当にすごいな！　普通の70歳なら、熱中症で倒れちゃうよ。まぁ俺は、鍛えているから、これぐらいはまったく平気だけどな！」

暑さにかこつけて、自分の若々しさを自慢げに語る社長の頭をふとみると、なんと汗を拭くたびに、どんどんカツラがズレていくではありませんか！

七三分けだった分け目が、センター分けぐらいになっていて、汗を拭き終わる頃には、オデコ自体も普段の１・５倍ぐらいになってしまいました。
頭にとんでもない異常事態が発生しているにもかかわらず、まったく何も起きていないかのような、ちょっと気取った様子で話し続ける社長。まわりの社員も、気づいているのかいないのか、まるで何も起きていないかのように振る舞っています。そして社長は、とびきりのドヤ顔で、あなたに自分の若さ自慢を語り始めました。

「君も老化が気づかれ始める30代になったんだから、そろそろ意識的に運動をしたほうがいいぞ！　運動のおかげで俺は、半年前に70歳になったけど、必ず『50代ですよね？』と人に言われるぞ。君も俺の実年齢を知らなければ、そう思うだろ？」

と、大真面目に、あなたの顔を正面から見つめます。もし、私がこんな場にいたら、**笑わないようにと、ものすごく必死になってしまうと思います。**

一方、こんなシチュエーションだったらどうでしょうか？

ハロウィーンの渋谷には、仮装した若者が大勢います。その中の、特に酒に酔っている感じの若者が、道端で「コスプレ最高！」と、いつ吐いてもおかしくないような千鳥足で叫んでいます。次ページの挿絵をよく見ると、「セーラームーン」のコスプレでしょうか？　カツラがズレていますが、全然おもしろくありませんね。

私が、そんな若者を見たら、「勘弁してくれよ！」と、**眉をひそめるだけで、そこには笑いは一切ありません。**

この2種類のズレたカツラ。同じ事態が起きているのに、どうしてリアクションが180度変わってしまうのでしょうか？

○ 普通の中に異常があると笑える

笑いは、ある特定のシチュエーションで発生します。それは「異常なことが、あたかも普通に行われている時」です。

社長のカツラがズレてしまった時は、その現象が発生していました。社長はカツラがズレているという異常な事態が起きているのに、あたかも何も起きていないかのように普通に振る舞っていました。だから、笑いが生まれるのです。

一方、ハロウィーンで泥酔した若者のカツラがズレているというのは、**「異常なことが、異常に行われている時」**です。

カツラがズレているのは異常な事態と言えます。そして、ハロウィーンというシチュエーションも異常です。また、泥酔時というのも異常と言えます。しかし、どれも異常なので、「普通との差異で生まれるちぐはぐ感」がないので、笑いは生まれないのです。

これが「笑い」の本質です。「異常なことが、あたかも普通に行われている時」。これが、人が笑う時です。

私は、この笑いの法則を**「ズレたカツラ理論」**と呼んでいます。この理論は、洋の東西を問わず、人間すべてに当てはまります。ここからは、いくつかのシチュエーションを分析してみましょう。

○一見普通のスピーチが「大爆笑」に変わるワケ

結婚式のスピーチは参加者全員が聞きます。しかし、だからといって、聞いている人すべてが同じ反応をするとは限りません。

「新郎の○○君は、職場で一番元気な若手です。宴会部長として、お客さんにも可愛がられている存在です」

例えば、こんな至って普通のことを言っているスピーチなのに、**なぜか一部の人がゲラゲラ笑っていることがあります。**

これを聞いてまったく笑えない人は、このスピーチの中にある異常なポイントを見つけられていません。一方、この話を聞いて笑っている人は、この一見普通に見えるスピーチの一部に、異常な部分があることを感じ取っているのです。

ということで、このスピーチを聞いて笑っている人が、このスピーチをしている人と新郎の関係について、どんな情報を知っているのか考えてみましょう。

例えば、新郎が会社で一番「酒癖が悪い若手」だったとします。そして、この新郎は酒の席でお客さんとトラブルを起こしたことがあったり、二日酔いによる遅刻の常習犯だったりする人物だとします。

それに対し、このスピーチをしている人は先輩で、普段、新郎のことを「また今日も二日酔いで遅れたんだろう！ いい加減にしろ！」と、しょっちゅう叱っているような存在だったとします。

こんな前提があると、同じスピーチでも見える世界がガラッと変わってきます。もう一度このスピーチを見てください。


「新郎の○○君は、職場で一番元気な若手です。宴会部長として、お客さんにも可愛がられている存在です」

この線を引いた部分。これは普段、先輩が決して言わないような、新郎に対するポジティブな言葉です。そうなるとここに、**異常なことが、あたかも普通に行われているという事態が発生する**のです。

異常なことというのは、先輩が険しい顔をせずに、新郎に対してポジティブな言葉で評価しているということ。一方、普通のことというのは、結婚式ですから、新郎のマイナスになるようなことはあえて人前で言わないということです。

この、知らない人が一度聞いてもわからないであろう、オブラートに包んだようなものの言い方に「異常」を感じた人にとっては、内輪の笑いが発生するのです。

こんな仕組みになっているからこそ、同じ話を聞いても、笑っている人がいたり、まったく笑えない人がいたりするのです。この仕組みはすべての話に共通します。何を普通のことと認識し、何を異常なことと認識するか。ここに個人差があるので、笑える話、笑えない話が生まれるのです。

○カタコト英語でもネイティブは笑わない

同じ話を聞いても笑える人と笑えない人がいるという話は、「日本人の英会話」が典型的な例です。

多くの日本人は、同じ日本人がカタコトの英語を必死に話しているのを見ると、なぜか笑います。大昔から、日本のバラエティー番組では、英語を話せない人が必死にカメラ前で英語を使う姿を放送し、視聴者の笑いを取ってきました。

一方、英語のネイティブは、それを見て笑うことはほとんどありません。ネイティブたちは、日本人がどんなにカタコトであっても、真剣に英語を話せば、なるべく正確に理解しようと努力してくれる人がほとんどです。

どうして、英語のネイティブたちは、我々のあんなカタコトの英語を聞いていて、笑わずにいられるのでしょうか？　日本人が嫌味すぎるのでしょうか？

その理由は単純明快です。英語が母国語でない日本人が、カタコトの英語を話すというところに、英語のネイティブは異常性をまったく感じないからです。つまり、**普通のことが普通に起きているだけとしか認識していないので、笑うことはない**のです。

一方の日本人がどうして笑うのかと言うと、「異常なことを普通にやろうとしている」と認識できるポイントがあるからです。個人差はあるでしょうが、一例として、こんな解釈を考えてみました。

日本人は、人前で間違ったことをしたり、失敗することを「異常なこと」と認識しています。特に英語が苦手な日本人が英語を話そうとすると、それはもう、目も当てられないような失敗続きになることがよくあります。中学校で習ったレベルの英語ですら、いざ話そうとすると、間違えてしまう人も多いでしょう。

しかし、コミュニケーションの必要性に迫られた時には、どんな間違いだらけの英語であっても、無理やりしゃべって、何とか意思疎通を図るしかありません。なりふり構っていられないので、「私、英語が苦手で……」なんて雰囲気を出している余裕はありません。

つまり、「駅はどこですか?」というようなことすら言えないような異常な状態にもかかわらず、あたかも自分は普通にしゃべれます、といった体で話して、強引にコミュニケーションをとっている。ここに、「日本人がおもしろい」と思うポイントがあったのです。


ちなみに、私も高校生の時には、「さんまのＳＵＰＥＲからくりＴＶ」という番組で放送されていた、カタコトの英語で喋る日本人を見て笑っていました。しかし、その後、アメリカに４年間留学し、カタコトの英語は私の中で異常なことではなくなってしまいました。だから留学後は、どんなにカタコトの英語を聞いたところで、おもしろいと感じることはなくなりました。

このように、何が異常で何が普通かというのは、何か新しい知識を得たりすると変わるものです。だから、同じ話を聞いても、笑えなくなってしまうということが発生するのです。

1-2

「おもしろい話をします！」と宣言してはいけない「本当の理由」とは？

世の中には、いわゆる「笑いの法則」として
多くの人が信じているルールがあります。
その中には、やると逆効果になる
「勘違いルール」も存在しています。

次に、世間で言われているお笑いのお約束のようなものが、本当に正しいのかをこの「ズレたカツラ理論」を通じて考えてみましょう。

お笑い芸人が「『これからおもしろい話をします!』と宣言してからネタをやってはいけない」と言っているのを聞いたことがある人もいるのではないでしょうか。

おもしろいことというのは「異常なこと」です。つまり、「これから異常なことをしますよ」と宣言した上で、異常なことをしているのです。これだと、**いたって普通に、物事が予定通りに行われたようになってしまいます**。これでは、異常なことをしようとしても、それが異常性を感じられない出来事に見えて、笑えなくなります。

逆に言えば、あくまで何気ない普通の話をしている中に、意表をつくような形で「異常なこと」が放り込まれると、人は笑ってしまうわけです。

ちなみに、年末に放送されている「ダウンタウンのガキの使いやあらへんで! 絶対に笑ってはいけない」という番組は、あらかじめ「おもしろい(異常な)ことがどんどん起きるよ!」と言っているのに、とても笑えます。なぜでしょうか?

あの番組は、どんなことがあっても笑ってはいけないというルールが用意されています。これを別の言葉で言い換えると、**「どんな異常なことが起きても、普通でいないとダメ」**ということになります。要は、強制的に普通の中に異常が発生する仕組みになっているというわけです。だから、どう転んでも「ズレたカツラ理論」が成立することになります。このように、この番組には、極めて笑いが生まれやすい土台ができているから、多くの人が笑わずにはいられないのです。

○テンションが高くても、シュールにこだわっても、笑いは生まれない

次に説明するのは、多くの人が勘違いしていることです。笑いの法則として、次の2つは重要だと意識している人が多くいます。

- **テンションが高ければ高いほどおもしろくなる**
- **シュールにこだわればこだわるほどおもしろくなる**

実際テレビを見ていると、先輩を立てながら、威勢よく大声を張り上げてリアクションを取るような、いかにもお笑い芸人という人がいます。しかし、そのテンションに釣り合うほどには、笑いが起きていないと感じた経験もあるはずです。

それとは真逆で、テンションは低めで、目立たないボケを重ね続けるような、シュールな笑いを取ろうとしている人たちもいます。しかし、シュールであればあるほどよいかというとそんなこともなく、「たしかに斬新だね！」と感じるようなネタを見せられても、どこかいまいち笑えない時もあります。

ここまで読んできた方ならもうわかりますね。どんなにテンションが高くても、シュールなことをしても、それが通り一辺倒で普通と異常のメリハリがなければ、「異常なことがあたかも普通に行われていること」にはならないので、笑いは発生しないのです。異常なことが異常な場で行われているだけ、になってしまうのです。

裸になれば笑いが取れるというものではない

これまでテンションを高くすればいい、もしくはシュールにしていればいいと思っていた人にとっては、まだ半信半疑かもしれません。

そこで、同じような事例として、「裸になれば笑いが取れる」という誤解についても解説しましょう。今どきこんな誤解をしている人はほぼいませんが、一部の男性には時々います。

裸というのは、明らかに非日常で異常なことに分類できるでしょう。だから、その裸になるという異常性を、普通のやり取りの中にうまく練りこむと、笑いが発生します。したがって、ただ裸になればいいというものではありません。

実際、学園祭などで、威勢のいい男子たちが裸でテンション高く、奇声をあげながら踊るというような謎のネタを繰り広げる場合があります。やっている本人たちや近しい友人などは大爆笑しています。しかし、そうでない人にとっては、単に異常な場で異常なことが起きているだけにしか見えず、笑えるどころか不快にすら感じることもあるかもしれません。

これは、少し前に例にあげた、結婚式のスピーチのような状態です。事情を知っている人にとっては、「あんなに恥ずかしがっていたやつが、振り切って裸で踊っているじゃないか」などという見方をして笑えるかもしれませんが、これでは万人受けするわけがありません。

○プロの裸芸の中には狂気ではなく普通がある

一方、もちろん好みは分かれますが、プロの裸芸人は、必ず裸という異常性の中にも普通を持ち合わせています。

例えば、とにかく明るい安村という、裸芸で一世を風靡したお笑い芸人がいます。彼はパンツ一丁で、しゃがむなどの独特のポーズを作ります。その時、ちょうど角度的に、外から見ると履いているパンツが見えなくなり、全裸に見えるポーズとなっています。その状態で、彼は「安心してください！　履いてますよ！」と語り、再びパンツが見える姿勢に戻るというネタをやっています。

もちろん、人前でパンツ一丁の裸で出てくるのは異常なことです。しかも、全裸に見えるポーズを取るという設定自体もかなり異常です。しかし、彼のすごいところは、テンションは至って一定で普通なのです。むしろ真剣な様子で全裸に見えるポーズを紹介し、大真面目に「安心してください！　履いてますよ！」とやるわけです。

これは、「ズレたカツラ理論」でいうところの、「異常なことが、あたかも普通に行われていること」そのものです。パンツ一丁という出で立ちで、全裸に見えるポーズを紹介するというのは異常なことです。しかしそれを、あたかも普通のことのように、研究熱心な雰囲気で真剣に説明し、さらには「安心してください！」と、気まで使うわけです。このように、**明らかに異常なことを、あたかも普通のことのように**

やっているという要素があるから、この全裸ポーズのネタはウケるのです。

全裸で登場し、股間を隠すおぼんを回転させながらも、外から見えないようにするという芸をやっているアキラ100%も、同じ理屈で笑いを取っています。かなり異常な行動を、あたかも、普通のことをやるかのごとく、真剣にチャレンジしています。

よくお笑い芸人は、狂気の人というような印象を持っている人がいますが、一方で非常に真面目な人であるとも言われます。その両方が、お笑い芸人の本質をよく表しています。彼らは、狂気でありながら至って普通の人たちなのです。狂気に振りすぎていても笑えない。普通すぎても笑えない。この2つの絶妙なバランスがあるからこそ笑いが成立しているのです。

この異常と普通のバランスについて細かく説明すると非常に長くなるので割愛しますが、とりあえず、本書を読み進めるにあたり**「普通：異常＝9：1」**ぐらいの感覚で捉えておいてください。

第2章

必ず「おもしろい!」と言われる「たった1つの法則」

2-1

フリ・ボケ・ツッコミより「自分を伝える」べし！

おもしろさがどう生まれるかを理解した後は、その実践方法をお伝えしましょう。

実は、普通の人がおもしろいと思われたければ、「あること」をするだけでいいんです。

第1章では、どういう瞬間に人が笑うのかを説明してきました。使用した例のほとんどは、自分から笑いを取ろうとしている場合の成功例・失敗例でした。しかし、最初に説明した、「カツラがズレた70歳の社長」の例を思い出してください。この人の場合は、偶然のアクシデントで笑いが発生しています。

つまり笑いとは、どうであれ「異常なことが、あたかも普通に行われる」という現象さえ起これぱいいだけです。もちろん、カツラがズレるというような、恥ずかしいアクシデントの場合もあります。しかし、単純に自分の趣味を語ったら、それがなぜかウケたというようなこともあるはずです。

実は、その**「自分について語った時になぜかウケた」という現象こそ、一般の人が「おもしろい話」をする上で一番重要な部分です。**とはいえ、多くの人は会話の中で、自分が意図していないにもかかわらず笑いが発生すると、笑われているような気がして不安になります。人によっては、「え、私、なんかおかしい⁉」と、恥ずかしいアクシデントが起きてしまったような感覚になってしまうかもしれません。

しかし、安心してください！

ある「たった1つのこと」を理解するだけで、「自分について語った時になぜかウケる」という感覚が、再現性のあることとして感じられるはずです。

○他人は「勝手なイメージ」を抱いているもの

多くの人は、仕事だけで接するような人については、案外、相手がどんな考えを持っているのか、どんな人物なのかを知りません。しかし、見た目や話し方の雰囲気、学歴、年齢だとか、そういった表面的な情報は知っています。

そして、それらの情報を根拠に、多くの人は「勝手に」かなり詳細な人物像を頭の中で作り上げてしまいます。例えば、地元の内科クリニック院長のA先生について、こんな表面的な情報だけ知っているということもあるはずです。

- **50代で、いつもメガネ。やや明るい色に白髪染めをしている**
- **話し方は真面目で、雑談はしない**
- **父も祖父も医者で、地元のクリニックを受け継いだ**
- **1人娘が高校生の時からロンドンに留学**
- **愛車は真っ白な高級なポルシェで、高そうな時計を着けている**

多くの人は、これらの極めて表面的な情報から、勝手にこの人の性格や思考のパターンなどを予想します。この時の予想は人によって、本当にバラバラです。過剰に悪意を持っている人がいたり、その逆で、異常なほど尊敬するような人がいたりと、ほんとうに様々な人がいるはずです。

まずは、あなた（40代・男性）はA先生の診察をうけたことがあります。そして、あなたは近所の人に、「A先生って、どんな人？」と聞かれたら、こんな感じに答える人物だとしましょう。

「A先生は、寡黙で真面目な先生。ただ、俺たちみたいな普通のサラリーマンには

いないような、明るい色の白髪染めをしてるし、プライベートはもっと派手なのかもしれないね。でも、サクサク診察をこなしてくれるから、いい先生だと思うよ」

しかし、あなたの奥さん（妻）は、A先生をこんな人物と思っているとします。

「A先生は、ちょっと愛想が悪い感じ。診察もパパッとやって、すぐに次の人を呼びたいのかなって感じで、あんまり好きじゃないな。しかも、病院の前にとても高そうな車を見せつけるように停めちゃって……」

次に、あなたの子ども（息子）は、A先生のクリニックにかかったことがありますが、こんな風にA先生の人物像を捉えていました。

「A先生ってやっぱり、お金持ちだよね！　A先生の家に生まれたかったよ。俺と同い年の女の子がいるけど、高校からロンドンに留学してるらしいじゃん。お医者様って、やっぱり一般庶民とは、全然生活が違うよね～」

みんな勝手ですね（笑）！　こうやって多くの人は、勝手気ままに、よく知らない人のことでもどんな人か決めつけた上で接しています。

こんな3人がとある休日、高級スーパーのKINOKUNIYAから大きな袋を抱えて出てくるA先生と遭遇しました。以下はその時の会話です。

あなた「ん、あれは……？　あ、A先生ですか？」

A先生「いやぁ、こんにちは！　皆さんお揃いで。外出ですか？」

あなた「そうなんですよ。連休なので田舎のおばあちゃんの家に行こうかと」

A先生「奇遇ですね！　今日、私もロンドンにいる娘のところに行くんです。離れて暮らしている家族に会いに行くのは大切ですよね」

妻「そうですよね！　先生のようなパパが来てくれたら娘さんも喜ぶでしょうね。その手提げ袋にカップラーメンを買い込んでますけど、日本食のお土産ですか？」

A先生「見つかっちゃいましたか！　実はこれ、私が食べるために買ったんです。

私、どんな日も毎日、お昼は必ずカップラーメンを食べないとダメな体質で、これなしだと、たった数日でも海外には行けないんですよ！　恥ずかしいんですけど（笑）」

一同「（思わず笑ってしまう）」

息子「意外ですね。先生って、食にもこだわりがあるグルメな人なのかと、勝手に思ってました！」

あなた「私も、そう思ってました。高級レストランが似合うイメージ！」

A先生「そんなことないですよ！　ボクは、カップラーメンが好きで、これ一筋なんですよ。あ、そうだ！　せっかくだから、みなさんにとっておきの情報を紹介しましょう」

あなた「はい。何でしょう？」

A先生「カップラーメンは、実はちょっとアレンジするだけで、もっと美味しくなるんですよ。特にオススメなのが、柚子胡椒と刻み海苔を加えるバージョン。ぜひ、試してください！　もう最高なんです！」

妻　「先生、こだわりますね〜（笑）」
息子　「でも、その組み合わせは美味しそう！　僕もやってみようかな〜」
一同　「（またもや、笑ってしまう）」

先生と、この会話をした後、3人は、「A先生って結構、おもしろい人だったんだね」と、お昼を食べながら会話をしたことでしょう。

そうなる理由は、3人それぞれが思い描いていたA先生の人物像と、今回A先生が話した内容が、絶妙にズレていたからです。つまり、「異常なことが、あたかも普通のように行われている」状態になっていたのです。

なぜA先生の話は「おもしろい！」と思われたのか？

重要なのは、あなたがおもしろいと思うかどうかではなく、聞き手がどう思うかです。といっても、理解できない人も多いと思うので、なぜ3人が「A先生っておもしろい人だな！」と感じたのか、詳しく解説していきたいと思います。

まずあなた（夫）は、A先生を寡黙で真面目な先生と認識していました。にもかかわらず、A先生は気さくに、自分自身のことについて話し始めました。この時点で、すでに「ズレたカツラ理論」が成立しています。

ですから、あなたはA先生がどんな内容の話をしたとしても、「この人、思ったよりも感情豊かに自分のことをしゃべるんだな」と思うはずなので、A先生のことをおもしろいと思うのです。


一方、妻はA先生のことを「愛想の悪い人」として、快く思っていなかったはずです。しかし今回出会ったA先生は、とても愛想がよく、自分が好きなカップラーメンの話を一生懸命にするような人でした。それは妻からすると、相当な異常行動に見えるので、何を話してもおもしろいのです。

これはまさしく、明らかにズレたカツラをかぶっているのに、あたかも普通に振舞っている社長と同じ状態です。話の内容の良し悪しを越えて、A先生の話がおもしろいと感じてしまうのです。

最後に息子は、A先生のことを「ただのお金持ち」だと思っていました。だから、勝手な想像で、A先生は食にもうるさく、贅沢三昧だと思っていたのですが、実際にはA先生が大好きなのはカップラーメンで、しかもそれに対する愛情を、惜しみなく語り始めました。これは、息子にとっては、シャイで寡黙な友人が、急に裸踊りでも始めたかのような衝撃です。だから、A先生の話がおもしろいと感じたのです。

○「自分の感情をそのまま伝える」以上に楽にウケる方法はない

このように、A先生は自分のことを語っただけなのに、3人は思い描いていたA先生のイメージと違うので、勝手におもしろがっているのです。

実はこれこそが、本書で伝えたいことなのです。つまり、**「誰だって、他人の感情の動きを100%推測することはできない。だから、自分の感情をそのまま相手に**

伝えれば、内容にかかわらず、意外性のある何かが生まれ、おもしろがって聞いてもらえる」ということなのです。

もちろん、確かに、自分の感情をそのまま伝えたからといっても、「あ、そうなんだね～」と普通に返されてしまうこともあるでしょう。しかし、そうであったとしても、それは「数」をこなしていけば、いつかは聞き手にとって「え？　それは予想外だった！」という驚きが発生する話題に行き着きます。

もっとシンプルに言えば、「自分の感情を相手にそのまま伝える。それを何回か繰り返していれば、必ず相手にとって意外なポイントが見つかり、そこから話が盛り上がる」ということになります。狙っておもしろい話をするというより、確率論なのです。

ですので、話の内容そのものがおもしろいかどうかは、あまり関係ありません。自分と相手の間に、この「ズレたカツラ理論」が成立するかどうかがすべてなのです。

そのために一番有効なのが、「自分の感情をそのまま相手に伝えること」なのです。

本当に、それ以上でも、それ以下でもないのです。

私がこのメソッドをおすすめする理由は、次の2点です。

1．自分の感情をそのまま述べることは、フリ・ボケ・ツッコミのような技法と違ってシンプルで、普通の人でも、今、この瞬間からできることだから

2．普段あまり自分のイメージを知られてないような地味な人こそ、このメソッドが有利に働くから

1で触れた、フリ・ボケ・ツッコミを駆使し、「狙って笑いを取る技法」というのは、相当な高等テクニックです。だからこそ、変な方向に行ってスべってしまいがちという、リスクもはらんでいます。

2に関しては、自分のことを常にオープンにしているような人だと、好きな食べ物を伝えたぐらいでは、「そうだろうな」と、笑うほどでもない普通の会話になってしまうこともあると思います。

しかし、そうした前提となるイメージが薄く、普段、どんな感情で生きているのか他人からは分かりにくい地味な人だと、少しでも感情を語りさえすれば、「どんな話をしてもおもしろい」となる確率が非常に高いというわけです。

少し遠回りしましたが、これがこの本で一番伝えたいことです。それは、「**おもしろい人と思われたければ、自分の内面の感情を話せ！**」ということです。そうすれば、うまくいけば今回のA先生の例のように、ただ思ったことを語るだけで、「何を話してもおもしろい」状態に持っていけます。その上、ただ感情を語るだけなので、狙って冗談で笑いを取ろうとして失敗したときのように、スベることもなくなります。

2-2

ただ話しているだけでウケる話には必ず「感情の高まり」がある

ウケるには「異常なことをすればいいんでしょ」という人もいますが、それは違います。そこに自然な感情の高ぶりがなければ、「ドン引き」される可能性を高めるだけです。

私が「ウケるためには自分の感情をそのまま伝えよう」と、いくら説明したとしても、こんな勘違いをする人がいます。

「なるほどね。じゃあ結局、相手の想像を超えるような『異常なこと』をすればいいんでしょ。そうしたら向こうがツッコミをくれる、みたいな」

しかし、これは断じて違います。たしかにA先生のカップラーメンに対する愛情の話は異常なこととも捉えることができますが、ポイントはそこではなくて、「A先生が自分の感情の高まりを素直に話していること」なのです。

でなければ、その異常な行動に対して、違和感や引く気持ちが先に来てしまい、「おもしろい」と思われるどころか、「この人、なんかやだな……」とドン引きされてしまうのです。「変わった行動をしているだけ」では、おもしろい話になりません。

いまいちブレイクしていない、たとえば「野菜ソムリエ」などの資格を大量に持っているようなタレントにありがちなのがこれです。異常な行動のみを話して、「必死すぎる」「仕方なくやっている」感が全面的に出てしまい、話がまったくおもしろくないという現象です。

たとえば、「毎日、必ず5時間ぐらい半身浴しているんです」というような特殊な行動を、半身浴の効能などの役立つ知識と一緒に語ればウケると思っているような、若い女性タレントをテレビで見たことがあるはずです。

しかし、こういったタレントの話を聞いて、まったくおもしろいと思えなかった経験をしたことがある人は、少なくないはずです。理由は単純明快で、そういう人はだいたい、**「いかに特殊な行動をしたかを語るだけで、感情の高まりを語っていない」**からです。

話をしているタレント自身の感情の高まりを、聞き手が感じとることができなければ、特殊な行動を語れば語るほど「半身浴を5時間とか言って、なんか頑張っちゃってるな〜」「この人はキャラを作りたくて嫌々やっているんだろうな」と痛々しく感じられてしまうのがオチです。

○感情の高まりが「おもしろさ」を感じさせる

しかし、こんな半身浴の話でも、半身浴に対する、感情の高まりが、話の端々に自然と表れていれば、おもしろくなることもあります。たとえば、そのタレントがＭＣから話を振られた時、具体的な半身浴の効能に一切触れなくても、自分の感情をストレートに話していれば、こんな感じの会話になるはずです。

タレント「私、これまで仕事で断食とか、色んな健康系の企画をやっているんですけど、どれもツラくて嫌だったんです。でも、半身浴は私にすごく合ってるみたいで、もう最高なんですよ！　スタッフさんからも、そこまでしなくていいって引かれ気味なんですけど、実は毎日、気づいたら5時間ぐらい半身浴してるんです！」

MC「5時間!? そりゃすごい、ふやけちゃいそうだね(笑)! なんでそこまでハマれるの?」

タレント「なんか、断食とかはツラい挑戦なんですけど、半身浴は癒やしなんです! ただお湯に体の半分だけ浸かって、ボーッとしてスマホをいじったり、動画を見てるだけで、一瞬で時間が過ぎ去ってく感じで、時間を忘れちゃうというか。もし、法律で半身浴が禁止されたとしても、捕まるの覚悟で半身浴しちゃうと思います(笑)!」

別に特段おもしろい話になるわけではないのですが、感情の高まりによって「この人はよくわからないけど、とにかく半身浴が異常に好きな人なんだな」ということが自然と受け入れられます。感情の高まりによって、「なんだかわからないけど、変な人だな。ちょっとおもしろいかも?」なんて具合に、声を出して笑うような話ではなくても、それなりに聞いていられる話として機能するわけです。

○「異常な行動」だけで ウケようとする人の末路

ここでカンのいい読者は気づいたと思います。ウケるタレントもそうでないタレントも、話しているのは、「1日5時間も半身浴をしています」ということであり、まったく同じ内容なわけです。要は、おもしろいかどうかの違いを生んでいるのは、そこに感情が乗っているかどうかだけなのです。

それにもかかわらず、もしタレントが、「なるほど。1日5時間も半身浴をした、みたいな異常な行動を話していればウケるんだ!」と勘違いしてしまったらどうでしょうか。おそらく、よりウケようとすればするほど、もっと珍しい、他人の気を引く行動を起こさなくては、という強迫観念にかられて、こんな風にエスカレートしていくでしょう。

・レベル1：毎日5時間は半身浴をしています
←
・レベル2：毎日8時間は半身浴をしています
←
・レベル3：出かける時以外は半身浴をしています
←
・レベル4：起きている時は基本、半身浴。ほとんど湯船で生活しています

ここまでエスカレートしてくると、「感情の高まり」で話をカバーすることが不可能になってきます。相当ぶっとんだ話ですから、「おもしろい話」として披露させるためには、それこそ、フリ・ボケ・ツッコミ的な技術が必要になります。

なぜなら、もはや事実ではないことを、実際にあったことのように聞かせる技術が必要になるからです。そういった技術がない状態でこんな話をしようものなら、まわりの人はウケるどころか、ウソにしか見えない特殊な行動についての、おもしろくない話を聞かされたと感じ、ただ渋い顔をするだけです。


これに近いパターンで失敗する人が多いのが、「他人へのイジり」で笑いを取ろうとすることです。普通の人がやらないような、他人に対する失礼な行動で笑いを取るというものですが、これも「異常と言える失礼な発言を普通にしている」ことで、ズレたカツラ理論が成立することにはなります。

しかし、異常なことを何度も繰り返せば、カタコトの英語で笑えなくなるように、いつか普通になってしまいます。だから、「ちょっとくらい失礼でも、他人をイジっていればウケるんだ」と考えてしまうと、たとえば、こんな感じでエスカレートしていってしまいがちです。

・レベル1：飲み会などの無礼講の場で、先輩の容姿をイジって笑いを取ろうとする
↓
・レベル2：白昼堂々、先輩の容姿イジりで笑いを取ろうとする
↓
・レベル3：お客さんの容姿をイジって笑いを取ろうとする

このように、ちょっとした成功体験から失礼な行動がエスカレートしていき、最終的には、社会通念上、許されないレベルに達してしまう人もいます。そうなれば、ウケるどころの話では済まなくなります。それが、自分にとっても相手にとっても、大きなマイナスになる可能性があることは、火を見るより明らかです。

かつて渋谷のスクランブル交差点に、布団を敷いて寝るという映像を撮影した

YouTuberが警察のお世話になりましたが、これも「変わった行動」だけでおもしろいを狙っていった結果、エスカレートしたがゆえの悲劇と言えます。

○感情を素直に話した方が「おもしろい」会話は生まれやすい

では、行動を異常な方向にエスカレートさせずにおもしろい話ができるのでしょうか。例えば、先ほどのA先生とあなた（夫）がその後に再会した時の、次の会話を見てみましょう。

A先生「こんにちは！　また会いましたね」
あなた「こんにちは。この前、偶然出会って以来ですね。先生が教えてくださったカップラーメンの食べ方、すごく印象に残ってます」
A先生「そうですか！　でも実は、悲しいお知らせがありまして……」
あなた「どうしたんですか？」

A先生「いや、医者の不養生っていうやつですかね、健康診断を受けたらちょっと血糖値が高く出てて……。だからカップラーメンも、あの時は毎日食べてたんですけど、今はみなさんのイメージとは違って、全然食べてないんですよ……」

あなた「そうなんですね。でも、それがいいかもしれませんね」

A先生「そうですよね。だから最近は、さみしいんですが、1日おきぐらいにしています」

あなた「えっ？　先生、それでも十分、いっぱい食べてますよ（笑）！」

A先生「え？　あ、そうですよね（笑）普通の人にとっては、そうなんでしょうね～」

2人「（一緒に笑い合う）」

ここでA先生は、カップラーメンを食べる頻度が減って、今は毎日食べられないという話をしただけです。行動はエスカレートしていないですし、むしろ抑えてましたという話です。その事実を、心底悲しそうに話しているだけです。

しかしよくよく話を聞いてみると、減らしてもなお「1日おきに食べている」というではないですか。てっきり、もっと減らしていると思ったあなたは思わず、「十分いっぱい食べてますよ！」とツッコんでしまいました。

このように、A先生は自分の話を淡々としているだけですが、その中で聞いているあなたが「異常な行動が、あたかも普通に行われている」と感じる瞬間に行き着いてしまいました。ここでは、A先生に行動を無理やりエスカレートさせようなどという意図がなくても、おもしろい話にたどり着いています。

むしろ、A先生が心底悲しそうにしている分、そのギャップが際立っていないでしょうか？　A先生が「カップラーメンを前ほど食べられなくなったんですよ……」と話すその姿勢が自然だからこそ、後々でそのギャップがより際立つわけです。

○自分の経験や感情は「細かく説明すればするほどよい」

ここまでで、この本でお伝えしたいことの本質を、だいぶお伝えすることができました。ただそうはいってもまだ、「自分の感情をそのまま伝えるとおもしろいなんて、信じられない」「やっぱり『ネタ』的なものを仕込む方がおもしろくなるんじゃない？」という人もいるかもしれません。

そういう人には、この言葉を覚えておいていただきたいと思います。

「事実は小説より奇なり」

普通の人は、「ネタ」をきれいにゼロイチから作ることはできません。もし作ったとしても、それはあなたが思うより、陳腐で浅い話に聞こえてしまっている可能性が高いと思ってください。そんな狙ったかのような「盛った話」は、実はスベっている可能性も高い。だから、そういう打算的なことは、今後一切考えなくてOKです。

その代わりに、**自分がどういう感情を持ったのか、その詳細を丁寧に説明するようにしましょう。**人の思考は常に流動的で、かなり大きなゆらぎがあります。しかも、多くの人は、自分の考えや感情をそれほど言語化していません。

だから、その思考や心理状態を詳細に語れば、その中に相手からすると新鮮な発見があり、「それ、どういうこと?」と興味を持つ部分が必ず出てくるのです。

度々登場しているA先生ですが、彼が今後、こんな風に変化していったら、あなたはどう思いますか?

- **・他の人が話を振っても、カップラーメンの話題には食いつかなくなり、スイーツへの興味ばかり熱っぽく語るようになった**
- **・引き続き、毎日カップラーメンを食べているけど、なんだかマンネリ感があって悩んでいると退屈そうな顔をし始めた**

・他の人がカップラーメンの話を振ったら、「ああ、昔、そんな話をしましたね〜」と、なぜか遠い目をして、とっくに終わった過去のことのように話し出した

実際、人がこんな風に変化することは、ありがちです。そういう時には、その変化したありのままの自分を出す方が、結果として場も盛り上がります。

しかし、多くの人は、「こんな一面、相手に理解してもらえないかも」などと思い、自分のそれまでのキャラクターを守ろうと、そんな心理状態の変化を語らずに、なんとなく当たり障りのない感じで、話を合わせてしまったりするわけです。

そんな会話は、非常にもったいない！　相手が聞いておもしろい話は、あなたのストレートな感情、そしてそれが生じさせる化学反応的な発見です。だからこそ、自分の内面の感情を相手に伝えることが、おもしろい話をするための何よりの前提なのです。

第3章

おもしろい話の公式は「感情+行動」にあった!

3-1

おもしろい話は「感情と行動」をセットで語れ！

自分の感情をそのまま相手に話したのに、
それがすんなり伝わらない人もいます。
その理由は、「感情を語っているつもりで、
実は行動のみを語っていること」にありました。

さて、ここまで読んで「なるほど、自分の感情をそのまま人に伝えれば、おもしろい話ができるのか。じゃあもうこれ以上読む必要はないな」と、思っている方もいるでしょう。

たしかにその通りです。でも、私からもう1つだけ言わせてもらえば、やろうと思ったとしても、「自分の感情をありのままに相手に伝えられる人」は、実はそれほど多くありません。自分の感情を正確に伝えるには、いくつかのコツがあります。

この段階まで理解していても、そういう人がやりがちな「落とし穴」があります。それは、**「行動ばかり説明して、感情を語らない」**人です。

読者の多くも、テレビやYouTubeなどの「動画」を楽しんでいると思います。この動画というのは、「映像」と「音」という2つの要素からできています。映像もしくは音のみで情報を得ることは可能ですが、「動画」よりも情報量が劣るのは、言うまでもありません。

同じように人間の活動も、必ず2つの要素からできています。それは、「感情」と「行動」です。この感情と行動はセットで語らなければ、相手に伝わらないのです。

具体例をあげましょう。朝、目覚めたばかりの時、仕事に行かなくてはと思いながらも、実際は横になっているというような瞬間もあると思います。これは「仕事が嫌だ」という感情と、「動き出さない」という行動が合わさった状態です。

逆に、ボケーッと何も考えないで歩いているという瞬間は、「何も感じていない」という感情と、「歩いている」という行動が合わさった状態です。

このように人間の活動というのは、「感情」と「行動」が必ずセットになっています。どちらかが欠けるということはありません。

しかし、実は世の中の多くの人は、自分について説明する時、感情を語らずに「行動」のみを語る傾向があります。するとその話を聞いている側は、「話し手の感情を勝手に補正して」聞くことになります。

ところがこの補正というのがやっかいで、何に基づいて補正するかと言うと、それは聞き手の「先入観」です。つまり、先入観に基づいて「多分こうなんだろうな」という推測をしながら話を聞くので、聞き手の中に「意外性を感じる部分」が生まれづらいのです。

すると結局、「異常なことが、あたかも普通に行われている」状況にはなりづらく、おもしろい話が成立しづらくなってしまうんです。つまり、当たり障りのない、ありきたりな会話になりがちなのです。

このことが分かっているかどうかは、おもしろい話をする上でかなり重要です。「自分のことを話しているのにあまりウケない」という人は、自分の感情ではなく、行動をベースに語ってしまっているのです。

○「行動だけ」を語ると、なぜつまらないのか？

というわけで、どのように聞き手が、話し手の感情を補正しているのか、一連のプロセスを詳しく見ていきましょう。

私がやっている「ストイックすぎる雑談教室」では、「昨日、一番印象に残ったエピソードを60秒以内で教えてください」というワークを出すことがあります。すると、その話をする多くの人が、「自分の行動」についてしか語らないのです。中には、感情に関する表現が、ほぼゼロの人も結構います。

例えば、ある参加者がこんなエピソードを共有してくれました。

【例：あるメガネ男子の日常】

○話し手の見た目・雰囲気（注：人物の先入観を持ってから本文を読んでください）

・身長180センチぐらいの有名私立大学に通う礼儀正しいメガネ男子

・中肉中背で清潔感があり、スポーツよりも勉強が得意そうな雰囲気

・ややテンションは低めで、リアクションは控えめ

・しかし、話し出せば無口なわけでもなく、声も大きくハッキリ話す

Q：昨日、一番印象に残ったエピソードを手短に話してもらえますか？

「今、足の小指が少し痛くてジンジンしてるんですよ。

何でかって言うと、昨日の終電間際、まあまあ混んでいる電車に乗ったんです。僕の後に乗ってきた人がギャルっぽい女の人で、電車に乗ってからもずっとペラペラ通話してて。

それで、電車って発車する時、ちょっと揺れたりするじゃないですか。だからスマホで話してるギャルが、その時見事にバランスを崩して、こっちに倒れてきたんですよ。それで、厚底サンダルみたいな靴のヒールで、僕の足の小指が踏まれたんです。

それが本当に、机の角にぶつけた時みたいに、痛かったんですよね。

でも、すぐにそのギャルは僕に『すみません！』と謝ってくれました。だから、痛かったですけど、相手は女の人だし『大丈夫ですよ』と言っておきました。

言うほど、ひどい話ってわけじゃないですけどね」

改めて、気づいたでしょうか？　このメガネ男子は、一切、自分の感情がどういう状態であったかを、自らの口では語ってくれていませんでした。

ですがおそらく、多くの人がこのメガネ男子の感情を補正しながら読んでいたはずです。そのため、中にはこのメガネ男子の不幸話に感情移入し、実は、行動しか述べられていないということが実感できなかった人もいると思います。

感情の補正プロセスを可視化する

では、どのように聞き手は、話し手の感情を補正しているのでしょうか？

補正の根拠としているのは、話を聞いた時に湧いてきた聞き手自身の感情と、あらかじめ聞き手が抱いている話し手への先入観の2つです。

例えば、次の会話の傍線部が、この話を聞きながら私が抱いていた感情です。

【例：あるメガネ男子の日常（＋それを聞いている時に湧いてきた私の感情）】

「今、足の小指が少し痛くてジンジンしてるんですよ。

↓（痛そうでかわいそう！）

何でかって言うと、昨日の終電間際、まあまあ混んでいる電車に乗ったんです。僕の後に乗ってきた人がギャルっぽい女の人で、電車に乗ってからもずっとペラペラ通話してて。

↓（こんな背の高い男子でも、電車でトラブルに会うのか。世の中物騒だな。しかも迷惑ギャルに捕まったのか。災難だな……）

それで、電車って発車する時、ちょっと揺れたりするじゃないですか。だからスマホで話してるギャルが、その時見事にバランスを崩して、こっちに倒れてきたんですよ。それで、厚底サンダルみたいな靴のヒールで、僕の足の小指が踏まれたんです。

↓（ふーん、やっぱりね。そういう迷惑な人、腹立つなー！　しかもよりにもよって、そんな靴で小指を踏まれるって、痛そう！）

それが本当に、机の角にぶつけた時みたいに、痛かったんですよね。

↓（あの痛みは、本当に後を引くんだよな〜！　かわいそう！）

でも、すぐにそのギャルは僕に『すみません！』と謝ってくれました。だから、痛かったですけど、相手は女の人だし『大丈夫ですよ』と言っておきました。

↓（ギャルも少しは常識あるんだね。でも、謝られても痛いもんは痛いよな〜。だけど、こっちが折れるしかないよな。ストレス溜まりそう、その気持ちわかるよ！）

言うほど、ひどい話ってわけじゃないですけどね」

↓（いや、ひどい話だよ！　そこまで恐縮することないよ！）

いかがでしょうか。理解はできていますが、特段、おもしろく感じる部分はないと思います。むしろ、「かわいそう」とか「怒り」のような感情が前面に出てきています。

3-2

感情の解釈を他人に委ねるとつまらないワケ

相手が自分の感情を推測してくれるなら、
勝手におもしろく伝わることもあるのでは？
実は、そんなに甘くはないんです。
そのカギは、相手の「先入観」にありました。

さて、本題に入りましょう。なぜこの話がそれほどおもしろくないのか。それは、私がこの「行動しか述べられていない会話」を、メガネ男子への先入観および自分に湧いてくる勝手な感情だけで理解した結果、**「ただ単にネガティブなだけの会話」**になってしまったからです。

第2章で述べたように、人は勝手に先入観を抱いています。そうすると、その先入観に沿った「極めて整合性の高い」シンプルな解釈を脳はしたがります。

つまりここでは、「真面目そう」「気が弱いわけじゃないけどおとなしい」「騒ぎを大きくするのは嫌いそう」といった、私のメガネ男子に対する先入観に沿ったありきたりな解釈になってしまうのです。

つまり、話し手が自分の感情の在り方まで他人に委ねてしまうと、「ズレたカツラ理論」＝「異常なことが、あたかも普通に行われている状態」は生まれないのです。だから、行動のみを語るのはダメなのです。

改めて、私が補正して解釈したメガネ男子の感情部分を見てください。すべてがネガティブな感じです。「真面目な男子がギャルのせいで嫌な思いをした話」という先入観から、メガネ男子の感情を勝手に決めつけているのです。

余談ですが、売れていないお笑い芸人のコントを見ていたりすると、これと同じように「はじめからおわりまで感情が変化しない」台本が多いです。例えば、客も店員もオチにつながるトラブルがおきる前から何となく2人とも不機嫌で、それがずっと続いて変化もなく、なんだかつまらないといったものです。

しかし、実際の人間の感情というのは、目まぐるしく変わります。ほんの少し前まであんなに仲良くしていた人間が、信じられないほど揉めていたりするのを、誰もが見たことがあるはずです。それが人間のリアルな感情の動きなのです。

そうしたリアルな感情を行動とセットで語るだけで、聞き手の先入観を裏切ることができるので、おもしろい話として成立する可能性が極めて高いと言えます。だから、なるべく丁寧に、自分の感情と行動をセットで語る。これが必要になってきます。

○メガネ男子の「本当の感情」はこうだった！

私はこの話をしてもらった後、メガネ男子にその時の感情がどうだったのかを、逐一聞き出してみました。すると、当初私が考えていたよりも、はるかに幅広い感情の変化があったことがわかりました。

私が勝手にメガネ男子の感情を決めつけて、感情補正をしながら聞いていた時のものと比較しながら読んでみてください。

【例：あるメガネ男子の日常（＋話しながら思い出している本人の感情）】

「今、足の小指が少し痛くてジンジンしてるんですよ。

↓（昨日のことを話すならこれかなという深い意味のない感じ）

何でかって言うと、昨日の終電間際、まあまあ混んでいる電車に乗ったんです。

↓（ギリギリ間に合ってよかったという嬉しい気持ち）

僕の後に乗ってきた人がギャルっぽい女の人で、電車に乗ってからもずっとペラペラ通話してて。

↓（「美人が隣に来た！」とテンションが上がった感じ）

それで、電車って発車する時、ちょっと揺れたりするじゃないですか。だからスマホで話してるギャルが、その時見事にバランスを崩して、こっちに倒れてきたんですよ。

↓（このままギャルとぶつかると密着してしまいそうというドキドキ感）

それで、厚底サンダルみたいな靴のヒールで、僕の足の小指が踏まれたんです。

↓（密着じゃなく、こんなオチになってしまったのかというガッカリ感）

それが本当に、机の角にぶつけた時みたいに、痛かったんですよね。

↓（予想外の痛みの強さへの驚き）

でも、すぐにそのギャルは僕に『すみません！』と謝ってくれました。

↓（ギャルの笑顔が素敵なので、許すどころか怒りもわかない感じ）

だから、痛かったですけど、相手は女の人だし『大丈夫ですよ』と言っておきました。

↓（美人な女性と会話した嬉しさ）

言うほど、ひどい話ってわけじゃないですけどね」

↓（足が痛い云々は大きな問題ではなく、一言でギャルとの会話が終わってしまったガッカリ感の方が強いんだけど……という感情）」

どうでしょう。読者のみなさんも、メガネ男子が抱いていたリアルな感情を、まったく予想していなかった人が多かったんじゃないでしょうか。人によっては、「そんな感情を抱いていたの？」と驚くどころか、思わず「おいメガネ男子！　足を踏まれただけで、何ずっとときめいてるんだよ（笑）！」とツッコミを入れてやりたいと思った人もいるのではないでしょうか。それこそ、「ズレたカツラ理論」が成立している証拠です。

特に注目してほしいのが、**「ポジティブな感情を持った瞬間」の多さです。**メガネ男子は、エピソード全体を通じて、むしろ悪い感情をほとんど抱いていませんでした。これは聞き手が勝手に補正していた「メガネ男子の感情はネガティブ一色である」という推測とは、大きく違っています。

この話の中では、ポジティブだったりネガティブだったり、話し手の感情が揺れ動いていく変化も感じられるので、当初の「そうだろうな」という予測の会話よりも、数段「おもしろく」感じるポイントが増えています。

さて、改めて我々はこの話からどのような結論を得るべきでしょうか。

まず、今回のように、人間の常に揺れ動くリアルな感情というのは、他人が表面的に行う推測と決して一致するものではありません。一致するかもしれませんが、一致したところでそれは「そうなんだね」となるだけで、スベるわけでもありません。

ここで描いたようなメガネ男子の感情ほど詳しく描写することは難しくても、自分が「ここは特に強烈な感情を抱いた」箇所だけでも、感情と行動をセットで丁寧に描写して人に伝えさえすれば、おもしろい話は生まれやすいと言えます。

要するに、**行動だけでなく、「その時自分にどんな感情が生まれたか」を自分なりに描写して話すということです。**ここまでやると、独自性も高まり、「それ、どういうことなの？」と他人が興味を抱かざるを得ないポイントが生まれます。これこそが、「ズレたカツラ理論」を日常会話の中で成立させるためのポイントなのです。

さて、ようやくここまでご説明することができました。次の章では、そんな感情を上手に思い出して言語化する方法をお伝えしたいと思います。

第 4 章

自分の感情を伝えて
ウケるための
テクニック

4-1

内気な人でも素直に話せる魔法のテクニック

自分の感情を素直に話すことの大切さは、
もう十分に理解できたと思います！
ここからは、そんな話し方を実践する上で、
覚えておきたいＴｉｐｓをご紹介します。

ここまでで、「普通の人が日常会話でウケるための方法」については、そのメカニズムを一通りお話ししました。とはいえ、頭で理論がわかっても、それを実践するのは難しいものです。

そこでこの章では、自分の感情を相手に伝えるための、とっておきのコツを紹介します。これらを使いこなせれば、するすると自分の思いを相手に伝えて、「おもしろい人」と思われるようになるはずです。

私のやっている雑談のワークショップでは、よくこんな現象が起きます。

私　「今、友人に会ったとおっしゃいましたが、その時、どんな感情でしたか？」
生徒「感情？　特にないですね。しょっちゅう会っている友人ですし……」

このように、その時の自分の感情を忘れてしまったか、あるいはうまく言葉にできないと感じて、言葉に詰まってしまう人がいます。

しかし、私が質問をこんな風に変えると、反応が変わります。

私「友人に会った時に湧いた感情を2択で考えるなら、ポジティブですか？　それとも、ネガティブですか？」

生徒「どっちでもないような……」

私「授業ですから、強いて言うならでいいので、強引に選んでください！」

生徒「そうですか。じゃあ、うーん……2択というなら、かなり強引ですけどポジティブですかね。でもなぁ～、代わり映えのしないメンバーと会っただけなので。だから、『またか！』みたいなところもあって、そこまで嬉しいとか、そういうのでもないんですよね～」

ここで傍線を引いているところに注目してください。ここに、この生徒の内面の感情がしっかりと出ています。ここを見て、「この人が何を感じていたのかが伝わった」と感じた人も多いはずです。ここで皆さんに覚えておいてほしいポイントが、2つあります。

・人間の頭の中には「感情データ」が保存されている
・人間には「自分の発言に対する補正力」がある

この生徒は、最初の私の質問に対して、友人に会った時の感情を覚えていないと言いました。つまり、本人としては、忘れてしまったか、そもそも感情が発生していなかったような感覚でいたわけです。

しかし、ポジティブかネガティブの2択で選んでと言われたら、友人と会った時の感情の記憶が少しだけ呼び出されました。でも、どちらも正確に自分の感情を表す感じがしなかったのです。だから、私に選べないと返答したわけです。

ですが、とにかくどちらかを選んでと私に言われたので、強引に「ポジティブ」を選んで、それを口にしました。その瞬間、自分が当時抱いた感情とのギャップを感じて、強烈な違和感を覚えたのでしょう。その後、自覚のないままスルスルと、その時の正確な感情を語りだしました。そして、私が最初に知りたかったことを、しっかりと伝えきってくれたのです。

このように、人間の脳に対しては「最初に感情を大雑把に口にする」ことで、当時の感情の記憶がするすると出てくるようになっているのです。これを私は「感情キーワード」と呼んでいます。これは、あなたの脳に対する「隠れ操作コマンド」であると言ってもいいテクニックです。

この「感情キーワード」を口にすると、脳に保存されていた感情が、自然と正確に出てきます。だから、「私はそんなに感情を伝えるのが得意じゃないから……」という人でも、自分の感情を正確に語ることができるのです。

説明する時は「絵描き歌」のような感覚が重要

この「隠れ操作コマンド」は、別に感情に限らず、何かを説明する時全般に使えます。感情は目に見えない抽象的なものですから、まずは目に見えるものを、隠れ操作コマンドを使って説明しているところを分析してみましょう。

例えば、今私が手元に持っている写真に写っているものを、写真が手元にない人に説明する場合、こんな感じになります。

「この写真に写っているのは猫の置物。だけど、陶器とかじゃなくて、スーパードライの缶でできている。誰かの手作りの、リサイクルアート作品って感じかな。そして、結構な本数の缶を使ってると思う。缶の側面の部分を平らにして、それを何枚も貼り合わせてて、ロゴとかもハッキリ見えてる。猫は向かって左の奥に顔を向けて座ってて、たぶん、大きさは５００㎖の缶の高さぐらいあるんじゃないかな」

イメージできたでしょうか。この説明を聞いた人の頭の中では、次のように、１個ずつ情報が積み上がっていったのではないかと思います。

1. 猫の置物
2. 陶器じゃない猫の置物
3. スーパードライの缶でできた猫の置物
4. 結構な本数のスーパードライの缶でできた猫の置物……etc.

この時のポイントは、細々とした説明の描写にあるのではありません。とにかく最初に「猫の置物」と、大雑把に口にしていることです。別にここは、「アルミ缶のオブジェ」でもいいし、「リサイクルアート」でも、何でもOKです。最初に、大雑把なカテゴリさえ口にすれば、その後に「言葉」が続くのです。これはまるで、「絵描き歌」を歌いながら描いているようなものです。

また、猫の置物の説明をしている話者自身も、聞き手と同じように、自分が語っている絵描き歌の動画を頭の中で流して見ています。だから、自分が語っている絵描き歌の絵を、より本物に近づけようと、1つ1つ情報を加えていきます。すると、あなたの脳が勝手に、適切な情報をあなたの口から出していってくれるのです。

ちなみに、この猫の置物の画像は、何年か前にネットで話題になった実在するアートです。私のお気に入りの作品なので、紹介させていただきました。気になる方は、「猫　スーパードライ」で検索してみてください。

感情キーワードを使いこなす「3つのテクニック」

ここまで、説明する時のコツとして絵描き歌についてお話ししてきましたが、さらに細かいコツとして、「3つのテクニック」をご紹介しましょう。

まず1つ目は、「口から出す感情は、少しでいい」。理解している人がほとんどだと思いますが、おもしろい話をするには、自分のリアルな感情を相手に伝えることが重要で、その分量自体は、それほど多くなくてもいいのです。

この章の初めに紹介した生徒の例文を、もう一度、見てみましょう。

生徒「そうですか。じゃあ、うーん……2択というなら、かなり強引ですけどポジティブですかね。でもなぁ～、代わり映えのしないメンバーと会っただけなので。だから、『またか！』みたいなところもあって、そこまで嬉しいとか、そういうのでもないんですよね～」

この傍線部が感情を説明している部分ですが、これだけで十分すぎるほど、どんな感情を抱いているのかが伝わっていると思いませんか？　だから先ほど、猫の置物の写真を説明した時のように、事細かに描写する必要はないのです。

そもそも、普段、大半の人は感情を聞き手に伝えることすらしていないので、ちょっと感情を出しただけで、「ズレたカツラ理論」が成立するのです。

2つ目のコツは、**「感情は2種類に仕分ける」**。

私が生徒に「その感情はポジティブですか？　それともネガティブですか？」と質問したことを思い出してください。こう質問された生徒は「かなり強引ですけど、ポジティブですかね」という発言をして、それが「隠れ操作コマンド」として機能しています。

このように、なかなか自分の感情を説明できないと思っている人は、多少強引でもいいので「この経験はポジティブ／ネガティブのどちらかな？」と2種類に仕分けしてみてください。

ただし、それをいざ口に出そうと思っても、日本語として「この前の体験は、ポジティブ／ネガティブでした」というのは、一般的な表現ではないと思います。ですから、「いい気分になった（ポジティブ）」「イヤな気分になった（ネガティブ）」という、2つの言葉で表現するようにしてみましょう。

そうすれば、その「大雑把な感情表現」が引き金となって、自分の感情がするすると出てくるのではないかと思います。

ちなみに、もしこの時に違う表現がしっくり来たり、自然と口に出るようであれば、もちろんそちらを使ってください。今お伝えしているテクニックは、そっくりそのままやればば「おもしろい話」が成立するというマニュアルというより、「こうやれば初めての人でもうまくいくよ」という最低限の指針です。

ですから、今後紹介するテクニックに対しても、「自分はこの方がしっくりくる」というものが浮かんだ場合には、遠慮なくそちらを優先してください。その方が、自分の個性が活きた、より「おもしろい話」を成立させやすいトークになるはずです。

最後、3つ目のコツは、**「間違った感情表現を恐れない」**。

多くの人は、まわりの人から誤解されたり、失敗することが大嫌いです。だから、いざ自分の感情を他人に説明しようと思った時、言葉のチョイスにとてもナーバスになる人が多いのです。特に、自分の感情の大雑把なカテゴリを口にするというのが、大きな誤解を生むのではないかと、とても不安になる人がいます。

しかし、それはムダな心配です！　むしろ自分の行動だけを述べて、相手の解釈に自分の感情を委ねるほうが、よっぽど誤解が生まれやすいと言えます。それにもかかわらず、これまで特段、人間関係において大きな問題など起こっていない人がほとんどではないでしょうか？　ですからそういった人が、ナーバスになる理由はどこにもありません。

それに、**自分の言葉で自分の感情を説明している時は、いつでも自分のさじ加減で発言を訂正できます。**例えば、もし、「『イヤな気分になりました』は表現がキツすぎた！」と感じたら、その後に「まあでも、ホンの少しですよ！」と付け加えればいいだけです。そうすれば、何の問題も発生しません。

というか、その口にした発言に対する違和感を訂正する作業こそが、自分の感情を素直に表現する「隠れ操作コマンド」そのものであると言っていいぐらいです。

4-2

感情を分解する表現を使いこなして他と差をつけよう！

ここまで紹介した「感情キーワード」のテクニックを使うだけで、スムーズに自分の感情を表現しきれる人も多いと思います。しかし、自分の内面描写に慣れていない人にとっては、まだまだ言葉に詰まってしまうこともあるはずです。

そういう時に、役に立つのが、**「感情を分解する表現」**です。その威力を実感してもらうために、似たようなワークを2つご用意しました。

・ワーク①：昨日の晩に実際に起きたいいことを思い出しながら、30秒間ひたすら、この文の続きを考え続けてください。

「昨日の晩は、すごくいい感じだったんです。〜〜〜」

・ワーク②：昨日の晩に実際に起きたいいことを思い出しながら、30秒間ひたすら、この文の続きを考え続けてください。

「昨日の晩は、すごくいい感じだったんです。そこまで大げさじゃないですけど、〜〜〜」

いかがでしょうか。おそらく、大半の人は、ワーク②の方が、スムーズに言葉が出てくる感覚があったのではないかと思います。例えば、次のような感じで。

「昨日の晩は、すごくいい感じだったんです。そこまで大げさじゃないですけど、10人ぐらいお客さんが来てくれて、平日にしては、客席がかなり埋まってました」

その理由は、「そこまで大げさじゃないですけど」という「感情を分解する表現」が入っているからです。これはつまり、**この言葉の前に来る「大雑把な感情**（ポジティブ・ネガティブ・いい・イヤ）**」をより詳しく描写する言葉**です。このワンクッションを入れると、どういう方向性に話を進めていくかが決まるので、言葉が出てきやすくなるのです。

感情を分解する表現を使いこなすには、あらかじめ知っておくことが大変有効です。私がよく使う表現を、いくつか掲載してみます。

【感情を分解する表現】
・なんというか～
・そこまでは、大げさかもしれないですけど～
・もっと正確に言うのであれば～
・ちょっと違うかもしれないですね。何というか～
・これじゃ言い足りてないですね。もっと～
・というか、もっと微妙な感じで～……etc.

紙面の関係上、6つの表現だけ紹介してみました。ただ、どういった表現を使うのが好みなのかは非常に個人差が大きいので、あなたの好きな「感情を分解する表現」を自分なりに書き出してみることをおすすめします。

○時には、聞き手に頼ってしまってもいい

感情を分解する表現を使うと、比較的楽に言葉が出てきますが、それを使ってもなお、言葉がスムーズに出てこないという時もあると思います。しかし、感情を分解する表現さえ使っていれば、それはあまり問題になりません。なぜなら、言葉が出るまで「うーん……」と悩んでいればいいからです。例文を見てみましょう。

あなた「この前、営業ノルマを達成できなくて、イヤな気分になっちゃいました。そこまでは大げさかもしれないですけど、うーん……（うつむき加減で少しフリーズ）」

上司「（あなたが話し出すのを待てず）何かめんどくさい問題でも起きたの？」

この傍線部のように、話すのを途中で止めた人がいたら、ほとんどの人が「何かあったの？」と聞きたくなるはずです。その理由は、感情の情報と行動の情報のバラ

ンスが取れていないからです。

例文の「営業ノルマが達成できない」という部分は行動の情報です。そして、それに対応する感情の情報は、「イヤな気分になっちゃいました。そこまでは大げさかもしれないですけど、うーん……」の部分です。するとこの沈黙の後に、まだ語られていない、それなりにボリュームのある感情の情報が入ってきそうなのは、すぐに予測できます。

したがって、これを聞いている人は、「感情の情報に対して行動の情報が足りていないぞ！」と、すぐに違和感を覚えるわけです。**だから「何かめんどくさい問題でも起きたの？」という質問が、出来事の一部始終を知りたくなった聞き手からすぐに出てきます。**

以前、聞き手は行動の裏にある感情を、勝手に補正して聞いていると書きました。

しかしその逆、感情から行動を類推することはうまくいきません。だから「何か起きたの？」と聞きたくなるわけです。

さらにもう1つ、気をつけておいた方がいいことがあるとすれば、それは**「1人でしゃべり続けない」**ということです。

さきほどの例文のように、自分が話をしている時に、相手に質問をさせる形にして頼ってしまうのは、ちょっと失礼かもと思う人も時々います。しかし、その遠慮は馬鹿げています。なぜなら、聞き手は話に強く興味を持たないかぎり、わざわざ具体的な質問を話し手にするわけがないからです。

誰だって、聞き手が興味をもって聞ける話をしたいと思います。だから逆に、相手の興味をひくために、話の中の情報を「感情情報の方が行動情報より多い」という状態にするぐらいの姿勢が大切です。

ですから、もし相手が「うん」とか「へー」とかあいづちばかりで質問がなかなか来ず、自分一人で一方的に話しているように感じたら、その状態はヤバいと思ってください。そして、もっと「隠れ操作コマンド」を活用するなどして、あなたの感情を語ってください。

4-3

様々な感情を相手に伝えて「ウケる」を引き出そう！

感情は豊かであればあるほどいいもの。そのためには、いろんな経験の中にあるいろんな感情を引き出せるようになるテクニックを知っておきましょう。

ここまで、感情をより正確に相手に伝えることが重要だと書いてきました。しかし、決して誤解しないでください。ある1地点の感情を、深く深く掘り下げることが重要だと言っているのではありません。

そうではなくて、色々な地点の感情を、種類も豊富に伝えるほうが、「ズレたカツラ理論」が成立しやすくなり、おもしろい話が成立する可能性を高めます。

ここでは、あなたと上司が話している例文を1つ用意してみました。この中にある「感情表現」の数を意識しながら読んでみてください。

あなた「この前、新しいジャージを買って、すごくいい気分になってたんですよ！
そこまでは大げさかもしれないですけど……（少し黙る）」
上司　「（あなたが話し出すのを待てず）何かスポーツ始めたの？」
あなた「そういうわけじゃないんですけど、近所のスポーツショップがセールやってて、冬物だったんですけど半額で買えたんですよ！　結構、嬉しいじゃない

ですか」

上司「そうだよね。カッコいいやつ買えたの？」

あなた「そうなんですよ！　だから嬉しくて早く着てみたくて、4月だと暑いかなと思ったんですけど、今朝、早速、それを着て散歩に行ったんです。そしたら案の定、結構暑くて、ずっと上着を手に持って歩く羽目になったんです。最悪ですよ！」

上司「それほどイヤ？　手に持って歩くぐらい、別にいいでしょ」

あなた「よくないですよ！　その後、公園で1回、休憩したんですけど、早速、そのジャージの上着、なくしちゃって……」

上司「えー何やってるの(笑)！　笑っちゃいけないけど、そりゃ災難だったね」

あなた「そうですよ！　悲しいやら、恥ずかしいやら。全部自分が悪いのは分かってるんですけど、それでもなんか微妙な感じで、暑くて着れないようなジャージを、わざわざ私に売った店に対しても、ジワジワ腹が立ってきてるんです！」

上司　「あはは！　そりゃダメだよ（笑）自分が悪い！」

とても会話が盛り上がっていますね。この会話例の中では、結構な頻度で感情表現が登場しています。一見、こんなに感情表現を出すのは難しそうに見えても、習慣になってしまえばどうってことないですから、最初は意識して感情情報を増やすようにしてください。

○ 感情は「組み合わせて表現する」とよく伝わる

とはいえ、あなたの感情情報を豊かに表現してくださいとお願いすると、急に次のような感じで語り出す人が、まれにですがいらっしゃいます。

「あれは本当にイヤな感じでした。まるで寒い冬の雨の日に、中まで濡れた靴を履いたまま、一日を過ごさなければならないと悟った朝のようでいて、かつ……」

なんだかとても個性的でミュージカルの登場人物のようですね。こういった表現が自然に口からツルツル出てくる人は、その才能を開花させるのも1つの手だと思います。あるいは、こんな感情表現に憧れがあるなら、ぜひその道を追求してください。

しかし、こういった表現は、本書が追求する「簡単」「シンプル」とは、対極にある感情表現です。むしろ本書では、感情を表す単語を「シンプルに組み合わせる」という方法を使って、自分の感情を表すことを推奨します。例えば、こんな感じです。

「この前、通勤途中、本当にイヤだなってことがあったんですよ。なんというか、ほとんどが怒りで、残りは悲しいと絶望が混ざった感じですかね」

今回、感情を表す言葉が4つ登場しています。それを数式にすると、こんな感じになるでしょうか。

・通勤途中の感情＝イヤな感情（ネガティブ）＝「怒り×5」＋「悲しい」＋「絶望」

「×5」の部分は、話の雰囲気から勝手に推測していれたものです。いずれにせよ、こういった形でシンプルに感情を組み合わせれば、聞き手としては、話し手の感情がかなり理解できたと感じられるはずです。別に高尚な表現は必要ないのです。

とにかく難しく考えないようにしましょう！　いつも無意識にやっていることを、ほんの少し意識的に使えるようにするだけですから、この程度で十分です。

4-4

「狙ったこと」でウケようとしてはいけない

ウケるのに高度な技術はいりません。
なのに「狙ってウケようと」してしまい、
スベっている人は、結局のところ、
何がダメなんでしょうか？　解説します。

この本に書いてあるテクニックを使って、おもしろい話が作れてしまった人の中には、さらに笑いに貪欲になる人がいます。そして、「狙って話す」ことを始めてしまう人がいます。

そういう人は、気づくとこんな勘違いをしています。

1. より特殊な行動を語るとウケる
2. より強い感情を相手に説明するとウケる

しかし、繰り返し述べているように、そんなことはありません。1については、以前にも説明したので理由は割愛します。この段階に至った人は、知らないうちに1の勘違い行動をとり始めることも多いので注意してください。

そして、問題は2です。より強い感情を相手に伝えようとするというのは、要するに「ウソをつく」ということです。

プロのお笑い芸人などであれば、笑いを取るために、元の感情より圧倒的に強まった、ほとんどウソの感情を説明しても話術で聞き手をだましきることができます。だから意図的に「ズレたカツラ理論」を崩して、おもしろい話を成立させることができます。

しかし一般の人にとって、ウソを真実のように聞かせるというのは、相当難しい行為です。だから、本人はバレないつもりでもウソを語れば、こんな感じに聞き手がウソを察知してしまいます。

「ああー、この人はウケようと思ってウソをついてるんだな。じゃあ、どんな話が出てきても、意外じゃないから、驚くに値しないな～」

このように圧倒的に、「ズレたカツラ理論」が成立しにくい状況を生み出します。

「ズレたカツラ理論」を理解した人からすると、聞き手に「一番、思ってほしくないこと」を思われている状況だと言えますね。**そして一度でも、こんな先入観を持たれた上で話を聞かれてしまえば、自分の感情をリアルに語ることに何度チャレンジしたとしても、聞き手は「おもしろい」と認識できなくなってしまいます。**

このように「狙って話す」というのは、とてもハイリスクハイリターンで、一般の人がやるとスベるリスクだけを大幅にあげてしまう危険な方法です。

逆に言えば、この本が推奨している「感情表現を使って「ズレたカツラ理論」を成立させる」という方法は、スベることはありません。なぜなら、ただ自分のリアルな感情を相手に伝えているだけだからです。「ズレたカツラ理論」が成立していないからといって、それは至って普通の会話になるだけです。

狙うくらいなら「打席」に立ちまくれ！

勘のいい方ならお気づきでしょうが、この本で紹介している「おもしろい話」の作り方は、基本、偶然性に頼っています。話し手が何度も自分の感情を伝え続ければ、そのうちの何回かが聞き手にとって「異常」に見え、「ズレたカツラ理論」が成立するだろうというものです。ただ偶然性に頼り、何が「異常」で何が「普通」なのか、予想もしなければ、検証もまったくしません。

したがって話し手にできることは、「ひたすら打席に立ちまくる」ことです。数打ちゃ当たる戦法です。さらに何度も申し上げますが、この方法で「スベる」ことはありえません。せいぜい「普通の会話」で終わるだけです。だから打席に数多く立ったところで、特にリスクはありません。

よって、日常的に会話する機会を見つけたら、ぜひ自分の感情をより多く語ろうとしてみてください。その回数に比例して、あなたがおもしろい話を成立させる可能性は高くなります。何度も言いますが、ノーリスクです。

ちなみに、スベることはないと言ってきましたが、唯一気をつけてほしいことがあります。それは、**「デリカシーのない話題を選んでしまうこと」**です。これはスベるというか、相手に「こんな人だったのか」と、引かれてしまいます。

だから相手を見て、感情を伝える話題だけは気にしておきましょう。とはいえ、会社で仕事に対してマイナスの感情ばかり語るとか、明らかに場違いな下ネタを興奮気味に話してしまうとか、考えればダメなものさえ避けておけば、基本は大丈夫でしょう。

相手の笑いを「詮索する」必要はない

本書が推奨する、「偶然性」に頼って「おもしろさ」が発生するのを待つ方法を使うと、聞き手が笑ってくれたとしても、それが自分の意図せざる箇所であることも大いにあります。そうした時、ちょっと違和感を覚えてしまう人がいます。例えば、運動に興味のありそうな雰囲気を1ミリも発していない、やや貧弱な体つきで声も小さいのが特徴のPさんが、友人にこんな感じで話したとします。

Pさん「最近、YouTubeで2020年1月に引退したプロレスラーの獣神サンダー・ライガーのやってる、ライガーチャンネルを見るのが、すごく楽しみなんですよ。昔の名試合の裏話とか聞けて、試合を生で見に行って、絶叫しながら応援してた頃のワクワク感がよみがえってくるというか」

友人「あはは（笑）！　それ、本当の話？　Pさんがプロレス好きなの？　イメージと違いすぎる（笑）！」

ここで友人にとっては、格闘技とは無縁の雰囲気を醸し出しているPさんが、昔からのプロレスファンで、時に絶叫しながら観戦していたということが、まったくの想定外でした。だからそこに、「ズレたカツラ理論」が成立し、笑っています。

しかし、Pさんはウケたものの嬉しくなく、コンプレックスを感じている自分のひ弱そうな雰囲気を、どこか馬鹿にされたような、そんな感覚を覚えてしまったというシチュエーションです。

こういうことも、人によっては起きると思います。しかし、なぜ人が笑うのかを理解していれば、友人に悪気があるわけではないと理解できるはずです。ただ、友人のPさんに対する先入観の中に「プロレス好き」という要素がなかっただけのことです。それだけのことだと思っていれば、この笑いも受け入れられるはずです。

またそういう時に知っておくべきこととして、**人間関係において、他人の意外な一面を知った時、人はより関係が深くなったと感じる**、ということをあげておきます。だから友人がPさんのプロレス好きという意外な一面を知ることで、より仲が良くなったと感じるはずです。

ですから、ちょっと自分のコンプレックス回りを刺激されるような感覚を覚えたとしても、聞き手が笑ってくれたなら、「まあ、よかったな！」と思うようにしましょう。そして、その笑いが悪意を持っていたのでは？　とか、馬鹿にしていたのでは？とか、詮索しないようにしましょう。

○予想外のツッコミには「え、そう？」で対応

そうはいっても、想定していない部分で笑われたり、相手にツッコミを入れられたら、誰でも多少、たじろいで口ごもってしまうことがあるはずです。

しかしそういう時は、こちらも笑いながら「え、そう？」と対応するだけで十分です。もちろん、相手との距離感に応じて、「え、そうですかね？」などと、言葉の丁寧さは、各自で調整してください。

ではさきほどの、やや貧弱な体のPさんが、「え、そう？」と答えたところを想定してみましょう。

Pさん「最近、YouTubeで2020年1月に引退したプロレスラーの獣神サンダー・ライガーのやってる、ライガーチャンネルを見るのが、すごく楽しみなんですよ。昔の名試合の裏話とか聞けて、試合を生で見に行って、絶叫しながら応援してた頃のワクワク感がよみがえってくるというか」

友人「あはは（笑）！　それ、本当の話？　Pさんがプロレス好きなの？　イメージと違いすぎる（笑）！」

Pさん「え、そう？　意外かもしれないけど、中学生の頃から好きなんですよ」

友人「へー！　俺、プロレスはあんまりよく知らないんだけど（と、話が続く）」

いかがでしょうか。ごく自然な流れになっていると思います。確かに、お笑い芸人のようなノリで、自虐的にもっとガツガツ笑いを取りに行くとか、そんな展開も可能だとは思います。しかし、普通の人はそんなに貪欲にならず、これぐらいに自然に会話をしておけば十分です。

4-5

地味な人ほどおもしろい話がしやすい理由

地味な人は、会話に自信がないことが多い。
でも、それはすごくもったいない！
なぜなら地味な人ほど、「普通と異常のギャップ」を演出しやすいからです。

最後に、「暗そう」「大人しそう」「感情が読めない」などと、見た目や話し方の雰囲気などから、他人に地味だという先入観を持たれやすい人にお伝えしたいことがあります。それは、あなたは超ラッキーだということです。

なぜなら、**地味な人というのは、言い換えると、事前情報が少なくて聞き手にとってキャラクター想定がしにくい人ということだからです。**

事前の情報が少ないと、「話し手はこんな人だろう」という聞き手の事前の想定と、実際の話し手の感情のズレが大きくなるのは当たり前ですよね！　だから地味な人の場合は、ほんの少し自分のリアルな感情を聞き手に伝えるだけで、「ズレたカツラ理論」が簡単に成立するのです。

これは非常に大きなアドバンテージです。だからほんの少しでいいので、自己開放をして自分の感情を相手に伝えてください。すると、自分が思った以上に、相手にとっておもしろい話ができるはずです。

この時、活きてくるのが「相手の笑いを詮索しない」「想定外の事態には『え、そう？』で対応」の2つのテクニックです。自分の感情を出すことに慣れていない人は、想定外の所で笑われたり、ツッコまれるとパニックになりがちなので注意してください。

地味な人は「すごい人」！

くわえて、これはテクニックというより心構えの問題ですが、「地味な人はすごい人」と思っていた方がいいと思います。

世の中を見回すと、見た目が地味そうに見える人でも、おしゃべりな人はたくさんいます。あるいは、職場では地味なのに、プライベートでは目立って生き生きとしている人がいたりと、そもそも「地味」とは、とても不思議な現象です。

ですが、私の教室には「自分のことを地味だという人」が多くやってくるので、共通点を見出すことができました。まずそういう方は、とにかく、「自分について、他人が興味を持つわけがない」と主張し、自分の感情を口にするのをとても怖がります。

そして個性が伝わりにくい、客観的な事実や行動だけを伝える話し方を好みます。そうやって自分の感情がなるべく伝わらないように話すことを、なぜかみなさん口を揃えたように「無難な会話」と表現しがちです。

そして最大の共通点は、**自分のことを地味だという人に限って、感情を語り出すようになると、とても個性的でおもしろい人が多いということです。**逆に若い頃、お笑い芸人をやってましたというような、「私、おもしろいんです！」と言いたげな人のほうが、ノリのよさで押し切られそうになりがちですが、話をよく聞くと、独自の視点をあまり持っていない人だと感じることも多くあります。

だから地味な人というのは、生まれながらに個性が強く、何もしなくても目立ってしまうので、人生のある時期に「自力で地味になった人たち」なのではないかと、最近、思うようになりました。それくらい、皆さん独特な方ばかりです。

いずれにせよ、私のトーク教室に参加してくれて、地味だと言っていた人が、自分の個性を他人に発信し、それを受け入れてもらえる感覚を自覚した時、とても嬉しそうな顔をします。そしてその時、その人の本当の姿を見たような印象を受けます。

ですから今、この本を読んでいる「自分は地味だ」と感じている人には、特にこの本を活用し、積極的に「おもしろい話」をすることにチャレンジしてほしいと思っています。

第 5 章

狙って
「おもしろい話」を
する方法

5-1

あえて「ウケるを狙う」上級者だけに教える究極のテクニック

「なんでウケるを狙っちゃダメなの？」
読者の中には、笑いへの探求心を、
抑えられずにいる人もいるでしょう。
ここではこっそり、その方法をお伝えします。

ここまでは、「狙わない」ということが重要だと書きました。しかし、それはネタ感のするウソをつくような狙い方がよくないというだけの話です。

実は、この本でお伝えしている、「おもしろい話」のつくり方に沿った、「狙ってウケる」方法が、たった1つだけあります。

おもしろい話は、聞き手のシンプルな先入観を、偶然に頼りながら、話し手のリアルな感情描写で打ち壊したときに発生すると、何回も述べてきました。これが「ズレたカツラ理論」を成立させるための極意です。これを狙うということは、その仕組みをハックして、よりズレたカツラ理論が成立する確率を上げるということです。

そういう目線で考えると、1つの方法が簡単に見えてきます。それは、**「一言では言い表せないような複雑な気持ちを、自分の中で調整しなければいけなかった時のエピソードを語る」**という方法です。複雑な気持ちであれば、聞き手の先入観とはかけ離れている可能性が高く、さらにその感情をどう調整したのかなんて、他人には決して予想できない話になります。だから、狙ってウケを取りに行くことが可能になります。

人の感情はこんなにも複雑！

感情を調整する話は、一旦おいておくとして、まず「一言では言い表せない複雑な感情」と言われて、どんな印象を持ちましたか？　たとえば上司が、「まだ頑張れると期待しているから部下を怒っているんだけど、怒りすぎて嫌われるのはイヤ」といった、そんな複雑な気持ちを想像した人が多いのではないでしょうか。

それぐらいの感度があれば、まあまあです。しかし、人間の一言では言い表せない感情を、もっと細かく分析することは可能です。普段、まったく意識はしないでしょうが、**実は誰でも、10種類以上の感情だって瞬時に抱えることがあります。**

例えば、「ようやく仕事をやりきった！」という爽快感を味わいながら、そろそろ帰宅しようと思った時に、手間の掛かりそうな仕事を、気まずそうな顔をした上司からお願いされて引き受けることになりました。そんな時、決して、一言では言い表せないような複雑な気持ちになりませんか？

そうならない人もいるでしょうが、私はそういうシチュエーションになった時に、色々な感情がうごめいてしまうタイプです。ですから、残業を頼まれた瞬間、私の心の中に渦巻く感情を、次のように書き出してみました。

【残業を頼まれそうになっている人の気持ち】

1．仕事をやりたくないという方向の気持ち

・かなり遅くまでかかったらイヤだという不安
・「もう少し早く言ってくださいよ！」という怒り

・もう帰れると思っていたからこその落胆
・めんどくさそうで、やりたくないという気持ち

2. 仕事をやるべきだという気持ち

・仕事なんだから仕方ないと覚悟を決めた気持ち
・どうせ始めたらすぐ終わるはずと楽観的な気持ち
・他の人には出来ない仕事だからやらなきゃという使命感
・上司も困ってそうだし助けてあげないとという優しい気持ち

3. その他の気持ち

・今朝「早く帰る」と伝えていた家族に再び連絡を入れるのが面倒
・奥さんのリアクションが悪かったら嫌だなという不安
・ちょっとだとしても残業代が入ってくるならラッキーという気持ち

いかがでしょうか。こうやって書き出してみると、「残業をすることになった」だけで、一言では言い表せない何種類もの感情が湧いてくると共感してくれた人も多いと思います。

それにもかかわらず、こんな複雑な感情を、多くの人は「急に残業を頼まれてイヤだった。でも、やるしかないよね」くらいに簡略化して人に話したりします。それでは聞き手の予想を激しく裏切ることはできず、「ズレたカツラ理論」をガチッと成立させることはできません。

そう考えると、「複雑な感情は、実は複雑なまま伝えた方が、おもしろい話になりやすい」ということも、理解いただけるのではないかと思います。

◯スローモーションで体験を思い出す

さて、ではこの複雑な感情を、どう相手に伝えればいいのでしょうか。

前章では、1つの感情を掘り下げるのではなく、色々な地点の感情を、細かく伝えることが重要だと書きました。今回も、その原則はまったく変わりません。ただ、色々な地点の感情を、細かく伝えるだけです。

その時に重要なのが、「スローモーションで体験を思い出すこと」です。先ほどの残業を頼まれた瞬間の気持ちを、触りだけ、スローモーションで時系列順に思い出してみます。

【残業を頼まれそうになっている人の気持ち（スローモーション）】

出来事①：今日やろうと思っていた仕事がほぼ終わる

1、ようやく終わったという達成感を感じる

2、「さあ帰るぞ！」というワクワクした気持ちになる

出来事②：上司がシブい顔をしてやってくる

1、「何かあったのかな?」という心配な気持ちが湧く
2、誰に用事があるのかなという興味が引かれる気持ちも湧く

出来事③：上司が自分の目の前で立ち止まる

1、「え？　自分なの？」という驚きを感じる
2、「何があったんだ？」という心配な気持ちになる
3、まさか残業をお願いされるんじゃないよなという不安な気持ちでいっぱいになる

このように、スローモーションで見ていくと、どんな感情を自分の心に抱いていたのか、時系列で確認することができます。この例は、ちょうど、「仕事が終わった！」と思った瞬間に、上司が部屋に入ってきて自分の目の前で立ち止まったという場面です。時間にすると、たった、数秒の出来事です。それにも関わらず、これだけの感情が、発生しています。

○おもしろい少年漫画もスローモーション

このスローモーションの感情の説明に、特に男性の読者は、どこか懐かしさを覚えませんでしたか？　実は、**このスローモーションを使うことで、一言では言い表せない複雑な感情を表すという手法は、少年漫画でよく使われています。**

例えば、『SLAM DUNK』というバスケットボール漫画が、90年代に大ヒットしました。この漫画のテレビ版に、「ラスト2分！　仙道は俺が倒す」というお話があります。今、読者の中には、「へー、『SLAM DUNK』という漫画のアニメでは、2分を1話（約30分）もかけて描写したのか」と驚いた人もいるかもしれません。

しかし、ちょっと甘いです（笑）。「SLAM DUNK」では、たった2分の描写に1時間（30分×2回）も使いました。確かに、数字だけ見たら、飽きてしまいそうな気がします。しかし、実際は、普段は飽きっぽい少年たちの目を、ずっとテレビに釘付けにさせた、「おもしろい話」となっているわけです。

このように、**人間というのは、他人の複雑な感情に対して、強い興味があります。そして、その複雑な感情の動きを理解した人に対して、強烈な親近感を覚えます。**「SLAM DUNK」の主人公たちが、少年たちにとって、大人気だったのも、スローモーションを使った感情の表現が一流だったというのも大きな要因の1つです。

ですから、みなさんも、ここぞという一言では言い表せない感情が湧いてくる体験をした時は、「SLAM DUNK」のようにスローモーションを使って、細かく描写してみてください。ズレたカツラ理論が成立する確率も上げていますし、大きな笑いを生む可能性も高いと言えます。そして、それが成立しなくても、あなたに対する親近感がアップします。だから、「おもしろい話」をする人は、全方位で人気が出るのです。

とはいえ、決して、2分の出来事を1人で一方的に、1時間もかけて語るようなことはしないでくださいね（笑）。普通の人がスローモーション作戦を使う場合は、相手に上手に質問させながら、話を前に進めることを意識してください。それにも関わらず、相手が前のめりになって来ていない感じがしたら、そこまでスローにしなくて良いという合図です。

5-2

感情のアクセルとブレーキでウケるを狙え！

複雑な感情の動きを、丁寧に描くことが、「狙ってウケる」コツだと述べました。その時に大切になるのが「感情の調整」、つまり、心のアクセルとブレーキです。

今、私はみなさんに、一言では言い表せない複雑な感情を説明した方がいいと言いました。そして、同時に、だからと言って長く話しすぎない方がいいとも言っています。まるで真逆の事を言っている気がした人もいるでしょう。

これが何を意味しているのかと言うと、特定の「目立つ感情」だけをピックアップして、その部分だけ、特にスローモーションで説明して欲しいという意味です。

つまり、**「一言では言い表せない複雑な感情の中にある、特に、目立つ感情を認識してピックアップして欲しい」のです。**この説明だけ聞いたら、もう、この本を閉じたくなるようなぐらい、難しいと感じるかもしれません。

しかし、複雑に考え過ぎる必要はありません。なぜなら、「特に目立つ部分」には、共通点があるからです。それがこの章の最初に少し触れた、「自分の感情を調整した時」、つまり「感情のアクセルをかけた時 or 感情のブレーキを踏んだ時」というわけです。

感情と行動はセットと、何回も指摘しています。だから、ある行動（発言）に至るために、自分の感情を、どう奮い立たせたのか、あるいはどう抑えたのかについて話せば、それはいろんな感情の中でも「特に目立つ感情」になるはずです。

人は誰でも感情を調整しながら生きていますから、これを正確に口にできれば、非常に共感を呼びます。同時に、あからさまなまでに人によって違いが出る感情の調整は、聞き手は決して予想できないので、「ズレたカツラ理論」が成立しやすいのです。

先ほどの、残業を引き受けた時の感情一覧の中から、「感情のアクセルをかけた時」のものと、「感情のブレーキを踏んだ時」のものをピックアップしてみました。それがこちらです。

○感情のアクセルをかけた時

・仕事なんだから仕方ないと覚悟を決めた気持ち
・上司も困ってそうだし助けてあげないとという優しい気持ち

〇感情のブレーキを踏んだ時
・「もう少し早く言ってくださいよ！」という怒り
・もう帰れると思っていたからこその落胆

全体を見れば色々なことを考えていますが、案外、アクセルをかけたり、ブレーキを踏んだりして調整した感情は、そんなに多くありません。その時の頭の中は、こんな感じになっています。

【残業を頼まれた時に人に湧いた感情】
残業を頼まれて、ものすごい数の感情が湧く
↓
その感情の中から、次の2つの感情のブレーキを踏んだ

・「もう少し早く言ってくださいよ！」という怒り
・もう帰れると思っていたからこその落胆

↓

その後、次の2つの感情のアクセルをかけた

・仕事なんだから仕方ないと覚悟を決めた気持ち
・上司も困ってそうだし助けてあげないとという優しい気持ち

↓

結果、残業を引き受けた

いかがでしょうか。こう見ると、感情のアクセルやブレーキが、どういうことか分かりやすいのではないでしょうか。

また、この流れを見ただけで、人に話すべき部分が、キレイに並んでいるように思いませんか？　実はそのとおりで、「感情のアクセルをかけたり、ブレーキを踏んだりした瞬間」を順番にスローモーションのテクニックを使いながら話すと、聞き手にとって、おもしろい話が成立しやすくなります。

○ 一言では言い表せない感情を語った会話例

ではここで、このアクセル・ブレーキの一連の流れを意識して、残業を頼まれた人が部下に、そのエピソードを語るならこんな感じになるという例を紹介します。

ちなみに、この残業を頼まれた人のモデルは、私が社会人になりたての頃、同じ番組スタッフとして働いていた私の本当の先輩です。10歳ぐらい年上の方なんですが、職場の人気者で、偉い人から、よくモテる感じの人でした。その人は、徹夜明けの日ですら、とても機嫌が良さそうに会話をし、面倒くさそうな仕事でもイヤな顔ひとつせずに進んでやるというタイプでした。

当時、私は先輩のことを、生まれつき後ろ向きの感情が一切湧かない、ロボットみたいな人で、多少迷惑だと思っていました。なぜなら、仕事をやりたくて仕方ない先輩みたいな人が職場にいるせいで、若手の私も職場に長く残るのが当たり前になってしまっている気がしたからです。

そして、ある時、残業を振られた私が、あからさまにふてくされていました。その時、先輩が、こんな感じで話しかけてくれました。ダメ新人の私の、先輩に対する先入観を意識しながら、読み進めてみて下さい。

【残業を頼まれた先輩の会話】

先輩「おお大丈夫か？　微妙な顔してるけど」

私「今、急に、プロデューサーに残業頼まれちゃったんです。今日は、今から帰るから久々にって、さっき、友達に連絡いれてたばっかりでして……」

先輩「そうなのか！　ツライよな。この前、俺もまったく同じ状況だった」

私「そんなことあったんですか！　最近ですか？」

先輩「うん。先週の水曜日。ちょうどパシっと仕事が終わって『さあ帰るぞ！』と思ってたら、いきなり、Pがやってきてさー。俺の顔を見るなり、すごく申し訳なさそうな顔しながら『悪いんだけど、今日、残業お願いできない？』って言い出したの。その瞬間、それまでのウキウキした気持ちが、ピタっと止まったよね（笑）」

私「え？　先輩も、ちょっとはガッカリするんですね！」

先輩「そりゃ、あんなタイミングで言われたらさ、『もう少し早く言ってくださいよ！』って感じで、ちょっとはイヤな気分になるよ。というか、帰れると思っていたからこその落胆っていうか、それなりのショックは受けるよね」

私「そうなんですか！　意外でした」

先輩「あ、そんな感じする？　でも、イヤだなとは思っても、お前みたいに、そんなに顔に出さないよ。気持ちをグッと飲み込んでさ、ぜんぜん知りたい気分じゃないけど、ああ言われたら『はい。残業大丈夫です！　何かトラブルでもあったんですか？』とか、ちょっと心配そうな顔とかして話を聞くよ」

私「ははは！　先輩も、本当は、そんな気分なんですね！」

先輩「そうだよ！　ずっとやる気を１００％出してたら病気になるよ。それに、うちのＰってさ、本当に申し訳なさそうな表情で、残業をお願いしてくるじゃん」

私「あれ、絶対断れない雰囲気出てますよね〜」

先輩「うん！　だから、腹の中ではノリ気じゃないけど、こっちも気を使っちゃうから『残業だからって、そんなに気を使っていただかなくて大丈夫ですよ！』とか言っちゃうよね。この前とか、気合い入れすぎたのか、全然、心にもないのに勢いで『こういうことあったら、いつでも遠慮なく声かけてくださいね！』って、そこまで言っちゃったし（笑）」

私「ははは（笑）めちゃくちゃ社交辞令じゃないですか！」

いかがでしょうか。読者のみなさん、それぞれに感じ方は違うと思います。ですが、私にとっては、この先輩との話は、とても印象に残る「おもしろい話」として記憶されています。先輩に対して、ずっと前向きで、仕事をやりたくて仕方ない人だと思っていたのに、自分と同じように、つらくても頑張ったりしていたのかと目から鱗が落ちた気分でした。

○ これが「狙ってウケる」会話の方程式だ！

では、この会話例を、詳しく分析していきましょう。

次の3つの箇所は、スローモーションの技術を使って感情を細かく解説している部分です。

先輩「うん。先週の水曜日。ちょうどパシっと仕事が終わって『さあ帰るぞ！』と思ってたら、いきなり、Pがやってきてさー。俺の顔を見るなり、すごく申し訳なさそうな顔しながら『悪いんだけど、今日、残業お願いできない？』って言い出したの。その瞬間、それまでのウキウキした気持ちが、ピタっと止まったよね（笑）」

先輩「そりゃ、あんなタイミングで言われたらさ、『もう少し早く言ってくださいよ！』って感じで、ちょっとはイヤな気分になるよ。というか、帰れると思っていたからこその落胆っていうか、それなりのショックは受けるよね」

先輩「気持ちをグッと飲み込んでさ、ぜんぜん知りたい気分じゃないけど、ああ言われたら『はい。残業大丈夫です！　何かトラブルでもあったんですか？』と か、ちょっと心配そうな顔とかして話を聞くよ」

こうやって行動だけに注目すると、この場面は、改めて、数秒で完結する行動が多い場面であることが分かります。それにも関わらず、その何倍もの時間をかけて、先輩は、その時の自分の感情を説明しています。

それだけ、残業をＰに振られて、『はい。残業大丈夫です！』と答えた先輩の気持ちは複雑だったということです。ここまでしっかりと説明してくれたからこそ、私は先輩の気持ちを手にとるように理解したと感じました。だからこそ、それが私の先入観を壊してズレたカツラ理論が成立したし、先輩に親近感を覚えたのです。

そして、例文の中の傍線部が、先輩が自分の心にブレーキをかけた部分、そして色のついている部分がアクセルをかけた部分、つまりともに「感情を調整した部分」です。

このように、自分の感情を、どのように制御して行動をしたのかを語れば、聞き手にとってとても分かりやすい感情表現になります。自然に口に出てくればよいですが、何か指針が欲しい人は、こんな「型」を使ってみましょう。

【アクセル・ブレーキ構文】
実際の感情は○○だけど、アクセル／ブレーキをかけて、「発言 or 行動」をした

構造だけ、なんとなく、頭に入っていれば十分です。先ほどの会話例で言えば、

先輩「**気持ちをグッと飲み込んでさ、**ぜんぜん知りたい気分じゃないけど、ああ言われたら**『はい。残業大丈夫です！　何かトラブルでもあったんですか？』と**か、ちょっと心配そうな顔とかして話を聞くよ」

これは、実際の気持ちとは裏腹に、こんな発言or行動をしたという「型」になっています。この構造が頭に入っていれば、するすると感情のアクセルやブレーキの説明ができるはずです。

いかがでしょうか。スベるリスクを抑えて「狙ってウケる」ということが、かなり分かってきたのではないでしょうか。

「狙ってウケる」とは、2ぐらいの驚きを、10だったと大げさに盛ることではありません。むしろ、複雑な心の動きを、丁寧に表現することが、「狙ってウケる」ことの本質なのです。

第6章

おもしろい話で全方位にモテよう！

6-1

なぜおもしろい話をすると全方位にモテるのか？

感情ベースでおもしろい話をすると、ウケるだけではないメリットがあります。それは「勝手にいろんな人に好かれる」こと。その「モテるメカニズム」を説明します。

本書では、フリ・ボケ・ツッコミは、お笑い芸人などのプロが覚える「技術」で、普通の人が意識する必要はないと、はじめから述べています。ここでは、なぜおもしろい話をする上で、フリ・ボケ・ツッコミではなく、自分の感情を伝えた方がいいのか、改めて説明します。

本書では、「自分の心の動きを他人に伝える」ことが、おもしろい話をする上で大事だと繰り返し述べてきました。**自分の感情をベースに話すと、ウソがありません。「なんか話を盛ってるな」「ちょっと不自然だな」と思われることなく、あなた自身の個性が相手に伝わります。**

話していくうちに、聞き手が勝手に抱いていた「話し手の○○さんは、こんな人である」という人物像と、今聞いている内容が「なんかちょっと違うぞ」という点が、どこかで出てくるはずです。それが「ズレたカツラ理論」が成立する瞬間であり、おもしろい話が生まれる瞬間となるわけです。

さらに、これには「おまけ」もあります。話し手は自分の感情を開示し、自分を理解してくれた人に価値を感じます。さらに聞き手も、感情を開示してくれた人に価値を感じます。つまり、双方に親近感が生まれます。

人間は、一定以上の理解に達した他人は、とても気になる存在になります。そうすると、**別にその人がいない場所でも、「あの人だったら、こういう時には、こんなリアクションを取りそうだな」などと、気になる存在になります。それが、いわゆる「モテている」という状態です。**この場合の「モテる」は、男女関係だけにとどまりません。「先輩からモテる後輩」など、人間関係において全方位でモテるようになるという話をしています。

これが、自分の感情を話すことでおもしろい話ができると、いろんな人にモテる理由です。これを多くの人は、「おもしろい話をするからモテる」のだと思っているかもしれませんが、そうではありません。自分の感情を素直に相手に話して、自分を理解してもらっているから、モテるわけです。その場合、おもしろい話は「副産物」であって、一番の価値は、「人間関係が円滑になり、いろんな人に魅力的な人物と思われること」とも言えるかもしれません。

したがって、本書が推奨する方法でおもしろい話をすれば、ほぼ確実にいろんな人にモテるようになるはずです。

○フリ・ボケ・ツッコミは一般人には向かない

一方、フリ・ボケ・ツッコミという技術を駆使しておもしろい話を作るのは、これとまったく異なる仕組みになっています。そういった技術を駆使する人は、聞き手の先入観を予想し、それを狙って突き崩すことで、意図的におもしろい話を作ることを目指している人がほとんどです。

しかし、相手が何をおもしろいと思うのかは、その聞き手が何を知っているかに大きく依存します。だから、聞き手の先入観を予測する高い技術が必要です。

さらに、そんな聞き手の先入観を予想し、それを崩すことを長期的に狙い続けるには、ある程度「こういう人たちに向かってネタをする」というように、対象を定める必要もあります。

だから、どんなに上手な人でも、笑いを取りやすい特定の集団があります。言い換えれば、フリ・ボケ・ツッコミなどの技術に頼って誰かを笑わそうと思えば、ある意味で、その瞬間から万人にはウケないという宿命を背負ったことになります。

実際、プロのお笑い芸人だって、自分のターゲットの人々には「おもしろい」と言われていて愛されていても、別の人には嫌われているなんてことは、ザラにあります。

そんな、自分のことを嫌う人を生み出す可能性がある上に、とても高度な笑いの技術であるフリ・ボケ・ツッコミを、普通の人が適切に使いこなせると思ってはいけません。クラスや職場にも、「自分はおもしろい」と思い込んでいるようですが、ごくわずかな人以外からは、白い目で見られているような人はいませんか？　そういう人は、この部分に気づいていないのです。

○女子ウケ間違いなしのトーク術の「落とし穴」

その他に、「女子にウケる○○トーク術」というような、特定の人々を対象にした「おもしろい話」の作り方が解説されることもあります。例えば、女子はダイエットの話に決まって食いつくので、ダイエット関連でこんなネタを仕込みましょうというようなテクニックです。しかし、これも普通の人には難しすぎます。

なぜなら、対象とする人の属性を絞っても、その時々の状況は個々人によって違いすぎるので、そうした話題を瞬時に合わせてカスタマイズする技術のない人にとっては、かなり難しいからです。

例えば、ホストの先輩が後輩に、20代の女の子のお客さんにウケるトークなどを伝授することは仕組み的に可能です。なぜなら、見た目の雰囲気や年齢などが、同じ店のホストであればかなり近い可能性があり、その店のターゲットのお客さんも似ている人たちだからです。

しかしもし、そのテクニックを「ホストが女性にモテるためにやっているテクニック！」として、水商売のお店に一度も足を踏み入れたことのない50代のおじさんが、子育てで大忙しの40代のシングルマザーに使おうとしたらどうなるでしょうか？　絶対におもしろい話が成立しないとは言いませんが、よくない方向に転ぶ可能性が高いのは明らかです。

ですから、こういった「女子にウケる◯◯トーク術」などが役に立つ人は、そこで語られているテクニックを、自分なりに加工できる人だけなのです。どうカスタマイズすべきなのかが直感的にわからない普通の人の場合は、努力しても、その方法では何の成果も得ることはない可能性が高いです。それどころか、スベってイヤな気持ちになったり、聞き手に小馬鹿にされたりするリスクも十分あります。

○「話のうまい人」ほど参考にならないワケ

また、誰かの作った「ストーリーありき」のおもしろい話を、一部始終、落語のネタのように覚えることで、おもしろい話をしようとする人たちもいます。

例えば、社内でもトークスキルの高い人が、会社で起きた出来事を、おもしろおかしくお客さんに話していた、なんてこともあると思います。そういう時、それをそばで見ていて、「ああやって話せば、おもしろい話ができるんだな」と真似て、そっくりそのまま自分のお客さんにも話してみようとする人もいるでしょう。

しかし、ほとんどの人は、そばで見ていただけのトークをそっくりそのままコピーすることはできません。だから、同じように話しているつもりでも、おもしろい話として成立しないことがあります。

人間には、生まれ持っての個人差があります。だから特に訓練していなくても、生まれつきトークスキルが高い人たちも一定数います。**だから、「プロの芸人の話ではないのだから、自分も真似できるだろう」と思って、安易にそういう人たちがやっているトークをコピーしようとしても、うまくいかないことが多いのです。**

○ＮＨＫのアナウンサーにはなってはいけない

その他、おもしろい話というと、「情報」に頼る人がいます。身近な人間関係の噂話から、エンタメやスポーツに関する世間の最新情報など、そういうことに人一倍詳しくて、「おもしろい話をするなぁ」と思われている人がいます。

私はこれを「報道系トーク」と呼んでいるのですが、さまざまな情報を仕入れることで「おもしろい」を作り出す方法は、とても便利です。本書では、この方法について詳しく書くスペースがありませんでしたが、自分の興味のあることでよいので、何かしら詳しい話題を持っておくのはいいことだと思います。

しかし、それはやはり、**仕入れた情報に対して、「自分の心がどのように動いたのか」という感情をセットで相手に伝えないと、あまり意味がありません。なぜなら、それを聞いている人にとってその情報のみにしか価値がない場合には、話している人に対して興味を抱いてもらえないからです。**

例えば、NHKの5分ぐらいの短いニュース番組のアナウンサーの名前をどれだけの人が言えるでしょうか? 顔は知っているけど、名前は知らないという人も多いはずです。一方、民放のワイドショーに近いようなニュース番組であれば、アナウンサーからコメンテーターまで、顔をみれば「○○さん」と、名字ぐらいは思い出せる人も多いと思います。

その理由は、放送時間の長短とか、そういう問題ではありません。NHKのニュース番組は、情報の質やスピードと、アナウンス技術に価値を見出した作りになっています。一方、民放ではそれよりも、「情報に対する個人の見解」などに価値を見出した作りになっています。この差が、その理由です。

だから、視聴者もＮＨＫのニュースに対しては、情報の質や、アナウンサーの安定感があれば十分だと思っています。アナウンサー個人への関心度は、かなり低いと言えます。そのため、「このＮＨＫのアナウンサーは、このニュースに対してどんな感想をもっているのかな？」と民放のアナウンサーに対して思うような想像をすることはありません。それどころか、いつも見ているＮＨＫのニュースのアナウンサーが、急に差し替えられたとしても、ガッカリもしないどころか、気づかない視聴者すらいるでしょう。

普段、一生懸命ニュースなどをチェックして、おもしろい話題をまわりに教えてあげている人は、ネタの質ばかりにこだわってＮＨＫのアナウンサーのようにならないようにしましょう。それは、日常生活で個人が目指すような価値提供ではありません。

普通の人の場合は、自分の感情を織り交ぜながら、自分自身に興味を持ってもらえるような形で情報提供をしてください。さもなければ、さらなる情報通が現れた瞬間、その人の価値は相対的に低くなってしまい、それまで「おもしろい」とチヤホヤされていたとしても、そのポジションが一晩でなくなってしまうかもしれません。

6-2

おもしろい話に情報より個性が必要なワケ

かつては、おもしろい話のハードルも低く、わざわざウケようなんて必要もありませんでした。しかし、笑いのハードルが上がった今では、日常生活でも「個性が大事」になるのです。

先ほどアナウンサーの話をしましたが、民放のアナウンサーも大昔は、ＮＨＫのアナウンサーと変わらず、没個性的だったそうです。しかし今、民放のアナウンサーは、タレントと同じぐらい個性を出して、ファンを作らなければならない状況にあります。

このことが示しているのは、今は技術や情報よりも、「個性」が評価される時代だということです。情報化社会の現在、誰でも簡単に得られる情報は陳腐化します。だから、多くの人は、「その人しか発信できない情報」を突き詰めた結果、最終的に残る「その人独自の感情や思い」、いわゆる個性を重視するようになったのです。

この流れで一番被害を受けているのは、技術で笑いを取る能力が不可欠な、これから売れたいというプロのお笑い芸人たちでしょう。現在お笑いに興味のある人は、過去にたくさんのお笑い芸人の技術やネタに触れてきました。しかもそれは、ネットを開けば、今この瞬間にも見ることができます。だから、初めて見る人にとっては強烈な刺激となるはずの数多くのお笑いのネタや技術が、そういった人々にとっては、「ありふれた極めて普通のネタや技術」と感じられるようになってしまいました。

そんな状況の中、笑いを取るために、視聴者が異常性を感じてくれるネタを作るのは、とても大変です。だから、ネタで一世を風靡するには、工夫を重ねて、従来の形式を崩すなど、刺激的で新しいネタを作らなければなりません。しかし、そんな狭き門をくぐり抜けても、1つネタが評価されただけでは、一発屋で終わってしまいます。

なぜなら、**工夫を重ねたネタが、おもしろいと感じた視聴者が大勢いても、ネタをやっている人間にまで興味を抱いてもらえないことが多いからです。**その上、そのネタも極限まで異常性を追求しているので、視聴者はその仕組みを理解した瞬間、「そこまでこねくり回せば、異常に見えるのも当たり前だよな」と、逆に異常を普通と認識するのも早くなってしまうからです。だから一度ネタで当てて知名度を上げた後、フリートークで自分の個性を視聴者に伝えることで、人間そのものに興味を持ってもらうことに成功した芸人しか生き残れなくなっています。

しかも、個性を伝えるフリートークも、芸人の世界では、本書で伝えたような簡単なレベルの技術だけでは足りません。かなり頭の回転力が求められ、ネタ的な技術も求められる難易度の高いトークが必要になります。だから一定レベルのお笑いのネタを作れた人だとしても、それを習得することは困難です。

悲劇はここで終わりません。ネタを手放した芸人は、アイドルから文化人まで、あらゆるジャンルのフリートークをする人と戦わなければなりません。しかも、芸人という看板を背負っていると、視聴者は「おもしろい話をする人」という先入観を持っています。だから**それを突き崩す異常な性質のトークで、「おもしろい話」を成立させる必要があって、結局、他の人よりも笑いを取るのが大変になります。**

だから今、テレビのバラエティで活躍している人に注目すると、芸人よりも元カリスマショップ店員とか、元売れっ子の子役、ゲイ雑誌の編集長、有名ＩＴ企業の社長など、他の人にはないバックグラウンドを持った人ばかりです。そういった人は、視聴者の「おもしろい」に対する先入観のハードルが芸人より低く、なおかつ「強い個性」という大きなアドバンテージがあります。

集団のノリで「おもしろい」を作り出す時代の終焉

なんでこんなに芸人の話をしたのかというと、この「おもしろいを生み出す技術」にこだわるほど損をするという現象は、一般社会でも起きているからです。少しマニアックですが「おもしろいを生み出す技術」にフォーカスした視点でもう少し説明していきます。

そもそも技術というのは誰かと共有可能で、次世代に受け継がれていくものです。ですから、ある特定のフリ・ボケ・ツッコミ的なおもしろいを作り出す技術も、これまで会社や部活といった集団や組織の中で受け継がれていったものです。

例えば、体育会系のノリとかこの会社のノリというような、脈々と受け継がれていくそれぞれの集団特有の「おもしろい」を成立させる技術があります。そういう集団に属する人が飲み会でもやれば、いかにその自分たち流の「おもしろさ」に合った宴会芸やネタをするかが問われるわけです。これぞ、これまでの日本で重要と思われてきた究極の内輪ノリで、これまでの社会では、その内輪の技術が高い人が「あの人はスゴイ！」とリスペクトされてきました。

そういったものは一種の笑いの「型」です。そのネタをする人間の個性や感性は重視されず、「その集団のノリにふさわしい技術かどうか」だけが問われます。だからある意味で、「この会社では、こういうノリがウケるよな」という暗黙の了解に沿っていれば、個人もコミュニケーションで悩むこともなかったのです。

しかし時代は変わり、他人に何かを強要するのはNGな時代になりました。「この集団のノリはこれである！」と、力のある人が画一的な組織や集団のノリを決定し、メンバー全員にそれを強要することはなくなりました。

こんな時代に、諸先輩から引き継いだ古い体育会系のノリを強引に貫くというのは、「他人のノリを勝手に決めるという異常なことをした上で、さらに笑わせるために異常なことをする」という「笑えない異常×異常な行為」にしかならないのでウケないです。

ではそんな時代にウケるのはどんな人かと言うと、どんなノリでも許される状況下で、他人の予想の斜め上をいく話ができる人です。そうなるともう、「他人がほぼ予想できない自分の感情」を、他人に伝えられる人しか生き残らないのです。こうやって一般社会でも、「個性」が重視されるようになりました。

特定の集団の中で「おもしろさを生み出す技術」より、「その人自身の個性から生まれるおもしろさ」が重視される理由も、ここにあります。芸能界も日常生活も、同じなのです。

○「個性がない」なんてことはありえない

しかしここまで「個性が重要」と連呼してしまうと、自分には個性がない、と不安になってしまう人もいるかもしれません。しかし私は、個性がない人なんて、絶対にいないと思っています。自分に個性がないと思っている人の大半は、「自分も他人も思うこと、感じることなんて大差ない」と勝手に決めつけているだけのように思います。

私の教室にやってくる生徒の方を見ていると、「私は地味なので、ちょっとでも他人の印象に残る、おもしろい話をしたいと思っているんです。でも、私には個性がなさすぎるので難しいなと思ってまして……」と、この世の終わりのような顔で語ってくれる方にたまに出会います。

そんな方に私は、「何をおっしゃいますか！　そんなことはありえません（笑）！」と必ずツッコミを入れます。なぜなら、お金を払ってわざわざ「ストイックすぎる雑談教室」なんて名前のトーク教室に通うなんて、その時点で誰もが通る平凡な道ではないからです。極めて個性的です。

だから、さらに私は生徒に対し「自分に個性がないと思うなら、知り合いに神妙な顔で『最近、無個性な私でも、おもしろい雑談ができるようになる方法はないかと、放送作家の人がやっている雑談教室に通い始めたんだ』と言ってみてください。そうすればみんな笑って、『ガチですね！　無個性どころか、十分すぎるぐらいキャラ濃いですよ！』と、あなたにツッコミを入れますよ」と伝えます。すると、当人は、狐につままれたような顔をしていたりします。

つまりこういう人は、「自分の思考や感情の動きが、まわりの人と同じ」だと決めつけてしまったことで、「他人は自分のことを地味で特徴がないと思っている」とも

決めつけています。その上で、本当の自分について語ることを避けているから、まわりの人もその人を、個性がない人だと勝手に決めつけているわけです。

これは非常にもったいないです。自分が何を思っているのかを、他人に勝手に決めつけさせてもいけませんし、その逆もダメです。そもそも自分に個性があるかないかなんて、考えないでください。誰にでも個性は必ずあります。だから、本書で紹介している方法で、自分の感情を表現してください。そうすれば、おもしろい話が成立する瞬間が必ず訪れます。

○とあるフィンランド人との出会い

最後に、私がおもしろい話にこだわり始めたら、なぜか人生が変わるような経験ができたという事例を紹介して、この本を終えたいと思います。教室で語る時には何も抵抗を感じませんでしたが、文章にするのはなんだか恥ずかしいですね(笑)。

ある時、私がバックパッカーとして泊まったアメリカのユースホステルで、フィンランドの方と出会いました。その人とたまたまキッチンで居合わせた時、フィンランド名物のトナカイのミートボールが入ったシチューを少しくれました。

その時です。私はこの本で紹介したような「おもしろい話の作り方」が、万国共通なのかどうか確かめたくなったのです。そこで私はこの「トナカイのシチュー」に対して湧いてきた感情を、相手に丁寧に言葉にして伝えてみたのです。日本語にすると、たしかこんな感想を述べたと思います。

「見た目は普通のシチューみたいにおいしそうだけど、なんかちょっと怖いな。いや、何というか違和感がある。なんかトナカイって、サンタのイラストとかのイメージが強すぎて、『今からあのトナカイを食べるの?』みたいな感じで、頭が混乱気味なのかもしれないな(笑)」

こんな感想は、ほとんどの日本人が抱くようなありきたりな感想でしょう。ですがそのフィンランド人は、私のこの感想に「予想外の異常」を発見したようで、結構な勢いで笑っていました。なぜ笑っていたのか、その詳しい理由は結局その場ではわかりませんでしたが、とにかく「この日本人はトナカイの肉について、こんな感情を抱いたのか」と、自国文化に対する自分の先入観を、外国人の私が砕いたのがおもしろかったのでしょう。ちなみにどこの国の人でも、自分の国や自分自身について、より知りたいという人はとても多いです。

その後、このフィンランド人はことあるごとに「あなたは、おもしろい人だ！」とほめてくれて、とてもよくしてくれました。そして、「フィンランドにも来てみない？うちに泊まればいいから」とまで言ってもらえました。

だから私は一度、実際にフィンランドにお邪魔して、その人の家族が所有している離れの一軒家に、1週間ほど無料で滞在させてもらいました。その時も、「日本からこんなにおもしろい人が来た！」と、周りの人に紹介してくれました。その人たちも、「おもしろい！　おもしろい！」と、私に興味を持ってくれて、とても親切にしてくれました。

でも私のやっていたことと言えば、**フィンランドの景色を初めて見たり、独特な文化・風習に触れた時に、自動的に心に湧いてくる感情をただ口にしていただけです。たったそれだけのことで、こんなに人に親切にされまくるって、すごくないでしょうか？**

「おもしろい話」の威力を、こんなに思い知ったことはありませんでした。

だからみなさんも、本書で紹介された技術を使えば、おもしろい話ができるだけでなく、きっと人間関係豊かな未来が待っています。自分の感情をさらけ出すのは、最初は緊張するかもしれませんが、やることは極めて単純です。ぜひ勇気を出して、チャレンジしてみてください。健闘を祈っています！

おわりに

この本を最後までお読みいただき、どうもありがとうございました。ここで、私がこの本で紹介してきた「おもしろい話の作り方」を学んだ、川崎亜希子さんという主婦の方についてご紹介させてください。

数年前、私は200人ぐらいの方を対象にした、話し方のセミナー講師として登壇していました。そこに「おもしろい話って、どうやるのか興味あるな」と、軽い気持ちで参加してくれていたのが川崎さんです。その後、毎週やっている定例のワークショップや、個人レッスンなどにも参加してくれました。

川崎さんは、第6章で触れた「自分には個性がない」と、私に恐る恐る相談した女性の1人です。その上、自分ではおもしろいと思ったことを言っても、スベって白い目で見られたらと思うと、怖くてなかなか思ったことが言えないという悩みも抱えていらっしゃいました。

そこで最初の授業から、「自分の心に湧いた感情をそのまま説明すれば、笑いは起きるんです」と伝え、実際に経験してもらいました。始めのうちは「今の私の発言、どこがおもしろかったんでしょうか？」と困惑気味でしたが、その段階をすぐに乗り越え、素直に自分の個性を話してウケる楽しさを知ったようでした。

実は今、川崎さんにも、私の授業のアシスタントをお願いしています。私の授業では、実際の会話のシミュレーションや、コミュニケーションゲームをよく使います。その時に、どうしてもこの「おもしろい話」の理論を理解してくれていて、見本レベルのトークをしてくれるアシスタントが必要になります。そういうわけで、かれこれ1年以上は、川崎さんにお仕事を依頼しています。

今となっては、最初の控えめで「今のでよかったんですか？」と、何度も自信なさげに私に質問していた川崎さんの姿を思い出せなくなるほど、授業で大活躍してくれています。それどころか、人と話す恐怖が消えたからと、前からやってみたかった占い師の勉強を本格的に始め、最近、プロの占い師としてデビューしたそうです。川崎さんの活躍を聞くたび、私はいつも自分のことのように嬉しくなります。

さて、「おもしろい話」をするための授業をして色々な人と出会い、感じたことが1つあります。それは、「おもしろい話をしたい！」と思っているということは、その先に「こんな風になりたい！」という、なりたい自分の未来像があるということです。

私が出会った生徒の方々は、最初はおもしろい話ができるようになりたい、ということで教室に来ていた人がほとんどでしたが、よくよく話を聞いてみると、皆さんこんな「夢」をお持ちでした（一部脚色を加えています）。

・おもしろい話をして、より生徒に慕われる先生になりたい
・会食で記憶に残るトークをして、仕事の成果を上げたい
・トーク術を磨いて、ラジオパーソナリティーとして活躍したい
・話術を学んで、女性にモテるようになりたい

・ぎこちない会話で「浮いている」気がするのを何とかしたい……etc.

だからきっと、読者の皆さんも、「おもしろい話をしてみたい」と思ったということは、なんらかの「なりたい自分の未来像」を心の奥底に持っているはずです。

ですから、本書を読み終え、「おもしろい話」をする技術を理解した今、少しでよいので、「このおもしろい話をするスキルを活かして、自分はどうなりたいのか？」という視点を持って生活してみてください。すると、思いもしないような、自分の向上心に気づき、すばらしい未来を手に入れられるはずです。

それにしても、「おもしろい話をして、まわりの人と笑い合う」というのは、誰にでも平等に開かれた実にすばらしいフィールドです。年齢、容姿、体格、体力、性別、国籍、頭脳、収入、その他一切が関係ありません。ただ、自分の心に湧いた感情を、相手に伝えられれば、一緒に笑っておもしろがることができるのですから。

実際、私の教室・講演・マンツーマン指導には、大学生や主婦から、外資系企業のエリート社員、はたまた上場企業の社長まで、様々な方が参加してくれています。そして、みなさん、本書で紹介したメソッドを使って、おもしろいトークを行うだけではなく、それぞれの人生をよりよいものにしていっています。

それと同じように、1人でも多くの読者の方が、本書で紹介した「おもしろい話」のコツを使って、人生をよりよい方向に動かせることを願っています。

「おもしろい話」で人生が変わった人の1人　渡辺龍太

〈著者略歴〉
渡辺龍太（わたなべ・りょうた）
放送作家、即興力養成講師
高校生の頃にお笑い芸人を志すも、内気な性格のため、一歩踏み出せずに卒業。しかし、内気な自分を言いわけにして、チャレンジしないまま人生が終わるのは嫌だと、一念発起してアメリカへ留学。その際、現地で「インプロ（即興力）」と呼ばれる科学的に研究されたアドリブトーク術と出会い、コミュニケーション能力が劇的に改善。以降、本格的にインプロや心理学を学び、体系的にまとめられた「人間が笑う話のロジックのパターン」の研究に没頭する。帰国後は、インプロで身につけた「おもしろい話」をする能力で多くの偉い人と仲良くなり、実績ゼロからNHKの番組ディレクターに就任し、放送作家となる。現在は、放送作家として活躍するかたわら、浅井企画メディアスクールでインプロワークショップなどの講師を経験したことをきっかけに、主婦・学生から上場企業の社長まで、あらゆる人への個人レッスンや、自治体や企業で精力的に講演やワークショップなどを行っている。最初は緊張してガチガチだった生徒が、レッスン後には、楽しげにリラックスした雰囲気で、求められてもいないのに「おもしろい話」を話し出す瞬間が、たまらなく嬉しい。
著書に、『1秒で気のきいた一言が出るハリウッド流すごい会話術』（ダイヤモンド社）、『ウケる人、スベる人の話し方』『雑談がおもしろい人、つまらない人』（以上、ＰＨＰ研究所）などがある。

主催する「ストイックすぎる雑談教室」の体験会を毎月開催しています。下記のアドレスからメルマガにご登録いただいた方に、コミュニケーションに関する気づきや、体験会の場所や時間を配信しています。
http://kaiwaup.com/e-book/

講演・ワークショップの問い合わせ　ryota7974@gmail.com

装丁・本文デザイン――山之口正和（OKIKATA）
イラスト――――――ひらのんさ
著者エージェント―――アップルシード・エージェンシー

おもしろい話「すぐできる」コツ

2021年3月4日　第1版第1刷発行

著者　渡辺龍太
発行者　後藤淳一
発行所　株式会社PHP研究所
東京本部　〒135-8137　江東区豊洲5-6-52
第一制作部　☎03-3520-9615（編集）
普及部　☎03-3520-9630（販売）
京都本部　〒601-8411　京都市南区西九条北ノ内町11
PHP INTERFACE　https://www.php.co.jp/

組版　有限会社エヴリ・シンク
印刷所　図書印刷株式会社
製本所

ISBN978-4-569-84867-9

PHPの本

なぜか話しかけたくなる人、ならない人

有川真由美 著

「話しかけたい」と思われる人は、同性からも異性からも愛される！　出会いの数が多くなり、人生も仕事もうまくいく魔法の習慣！

定価　本体一、三〇〇円（税別）